UN ANGE CORNU
AVEC DES AILES DE TÔLE

Leméac Éditeur remercie le Conseil des Arts du Canada du soutien accordé à son programme d'édition dans le cadre du programme des subventions globales aux éditeurs.

© LEMÉAC, 1994
ISBN 2-7609-1761-4

ISBN ACTES SUD 2-7427-0851-0

Illustration de couverture :
Claude Verlinde, *Le Jardin des délices*, 1977 (détail)
© ADAGP, 1996

MICHEL TREMBLAY

UN ANGE CORNU AVEC DES AILES DE TÔLE

récits

BABEL

Pour François Mercier qui, quand je doute,
trouve toujours les mots pour m'encourager.

... — Personne n'est capable de raconter une histoire exactement comme ça s'est passé. On arrange. On essaie de retrouver l'émotion première. Finalement, on tombe à coup sûr dans la nostalgie. Et s'il y a une chose qui est loin de la vérité, c'est la nostalgie.

— Donc, ce n'est pas votre histoire.

DANY LAFERRIÈRE

Je ne suis certain de rien, sauf de la sainteté des sentiments du Cœur et de la vérité de l'Imagination.

JOHN KEATS

EN GUISE D'INTRODUCTION

Rêvez-vous, comme moi, dans le style de l'auteur que vous lisiez avant de vous endormir? Si oui, enfourchez mon joual *le plus tard possible, le soir, partez avec dans votre sommeil, il est plus fringant que jamais malgré les bien-pensants et les baise-le-bon-parler-français, il piaffe d'impatience en vous attendant et, je vous le promets, il galope comme un dieu! Voyez-vous, j'aimerais pouvoir penser que j'ai la faculté de faire rêver, moi aussi.*

M. T.

Les origines de ma mère sont compliquées et mystérieuses. Née à Providence, dans le Rhode Island, d'une mère *Cree* francophone de Saskatoon (Maria Desrosiers), mais qui parlait très mal le français, et d'un marin breton vite disparu dans l'abîme du souvenir (un dénommé Rathier dont je n'ai jamais su le prénom), elle fut élevée dans un petit village de Saskatchewan par sa grand-mère maternelle, parce que Maria Desrosiers-Rathier avait décidé de rester aux États-Unis, pour travailler, disent certains membres de ma famille, pour faire la vie, prétendent les autres, et parce que ses enfants étaient dans son chemin. Elle les avait donc mis sur le train et était restée à Providence où l'argent était sûrement plus facile à trouver que dans le fin fond de l'Ouest canadien.

Comment ma mère s'est-elle retrouvée à Montréal au début des années vingt pour épouser mon père? Je l'ignore. Je pourrais téléphoner à l'un de mes frères pour le lui demander, mais je préfère penser appel du destin, fatalité incontournable et aventures rocambolesques à travers l'Amérique traversée deux fois à la recherche de l'amour et du bonheur... Je suis un enfant de Jules Verne, de Hector Malot et de Raoul de Navery, et j'ai toujours supposé avoir une mère de roman d'aventures.

Petit, j'essayais d'imaginer ce qu'aurait été la vie de ma mère si elle était restée en Saskatchewan. Qui aurait-elle épousé? Qui donc aurait été mon père? Et quand j'ai compris qu'il fallait être deux pour faire un enfant, que sans cette rencontre je n'aurais pas existé, j'ai connu ma première crise existentielle. Le hasard avait donc tant d'importance dans la fabrication des bébés? Si ma mère était restée en Saskatchewan, mon père aurait rencontré une autre femme et je n'aurais pas été là, moi, à me demander pourquoi ils ne s'étaient pas rencontrés? J'avais failli ne pas voir le jour et personne ne semblait s'en formaliser?

La Saskatchewan a toujours flotté dans l'appartement de la rue Fabre, puis celui de la rue Cartier, gigantesque fantôme aux couleurs de blé mûr et de ciel trop bleu. Quand maman nous racontait les plaines sans commencement ni fin, les couchers de soleil fous sur l'océan de blé, les feux de broussailles qui se propageaient à la vitesse d'un cheval au galop, les chevaux, justement, qu'elle avait tant aimés, avec un petit tremblement au fond de la voix et les yeux tournés vers la fenêtre pour nous cacher la nostalgie qui les embuait, j'aurais voulu prendre le train, le long train qui prenait cinq jours pour traverser tout le Canada, la mener au milieu d'un champ sans limite bercé par le vent du sud et le cri des engoulevents et lui dire: «Respire, regarde, touche, mange tout le paysage, c'est mon cadeau.»

Mon père, un homme bon mais dont la diplomatie n'était pas la principale qualité, lui promettait souvent dans sa boisson, parce qu'il l'aimait, de *vraiment* la mener une dernière fois dans son pays encore plus éloigné que celui de Gabrielle Roy, dont elle dévorait les œuvres en poussant de longs soupirs douloureux;

elle avait un court moment d'espoir, mais, comme nous tous, elle savait bien que la chose ne se ferait pas, qu'elle resterait à jamais prisonnière de Montréal où l'avaient définitivement menée ses pérégrinations, et elle retombait dans ces rêveries sans fin qu'elle partageait avec nous par petites bribes et infimes retailles. Je grimpais sur son énorme corps mou et odorant, je me jetais sur ce que j'appelais ses deux oreillers parce qu'il m'arrivait souvent de m'endormir sur elle, je disais : « Katchewan ! » Des vannes d'eau de souvenirs s'ouvraient, nous glissions tous les deux dans une rivière de mélancolie pour elle, de projets de voyages vers l'ouest pour moi.

Je ne suis jamais allé en Saskatchewan et les champs trop plats, trop grands, trop bien bercés par le vent me fendent le cœur.

*

Maman avait-elle un accent anglais ? Je me pose aujourd'hui la question avant de parler de sa sœur, ma tante Bea, qui, comme sa mère Maria Desrosiers que j'ai peu connue, parlait assez mal le français. Aurais-je eu une mère avec un accent anglais sans m'en rendre compte ? Peut-on passer les vingt premières années de sa vie en compagnie de quelqu'un qui a un accent étranger sans le savoir ? Ça, je l'ai vérifié auprès de mes frères : ouf !

Ma mère et ma tante Bea (sans accent aigu et c'était là son vrai nom, ce n'était pas un diminutif de Beatrice) passaient pour être jumelles tant elles se ressemblaient : même vaste carcasse large mais pas haute, même visage carré, mêmes joues rondes, même front plat et long agrémenté très tôt de rides profondes, même teint cuivré, et ce sourire envahissant des Desrosiers qui, par sa seule apparition, effaçait toutes les angoisses et tous les problèmes. Le portrait de leur mère. Elles n'avaient rien hérité du marin breton qui n'avait servi qu'à les concevoir et tout de la *Cree* débrouillarde qui avait traversé la moitié d'un continent pour essayer d'aller gagner sa croûte au pays de l'opportunité. Tout ce que cette dernière avait rapporté, cependant, c'était trois filles et un garçon qui lui ressemblaient.

Quand elles se promenaient bras dessus bras dessous sur la rue Mont-Royal en parlant anglais pour être sûres qu'on ne comprendrait pas leurs secrets de petites filles attardées, on disait : « Madame Tremblay est de bonne humeur, sa jumelle est venue la voir ! » Elles se racontaient continuellement les mêmes histoires d'enfance reculée dans la Saskatchewan profonde : ma tante Bea qui gardait toujours quelques pinottes au fond de son sac, le dimanche après-midi, pour pouvoir se vanter de finir sa collation *après* ma mère, les colères de celle-ci, déjà gourmande, qui salivait en regardant son aînée manger même les écales de pinottes pour faire durer son propre plaisir et aiguiser la frustration de sa sœur ; les religieuses qui leur faisaient répéter des centaines et des centaines de fois les mêmes phrases en français pour essayer de corriger leur prononciation parce qu'à la maison c'était plutôt l'anglais qui dominait ; la fameuse fois — l'ai-je entendue celle-là, suivie du rire sonore

de maman, de ses larmes de tendresse devant cette erreur ·
de petite enfant qui voulait bien faire — où ma mère
s'était tenue bien droite dans la classe pour réciter sa
leçon mais, dans son énervement, avait confondu deux
phrases de l'exercice et avait lancé, sûre d'elle-même
et fière de son coup: «Rouge comme une banane!»;
les inévitables feux de broussailles qui revenaient sans
cesse dans la conversation des Desrosiers: la terreur
brute, incontrôlable, l'odeur de l'herbe brûlée, la
fumée qui prenait à la gorge, les animaux rendus fous,
elles et leur grand-mère se tenant serrées dans une mare
d'eau en attendant les pompiers volontaires... Des fil-
lettes de cinquante ans qui continuaient une conversation commencée quatre décennies plus tôt mais qui
prenaient bien garde de ne jamais la terminer.

Elles se voyaient peu et, chaque fois qu'une visitait
l'autre, c'était la fête. La fête des confidences échangées
au-dessus d'une tasse de thé vert (ma grand-mère
Tremblay l'a toujours appelé le thé des Sauvages parce
qu'il nous était fourni par ma grand-mère maternelle et
il a toujours servi dans les grandes occasions, je n'ai
jamais su pourquoi); des rires sonores bientôt suivis de
larmes, surtout celles de ma tante Bea que son mari,
Arthur Liasse, négligeait sans scrupule; des consola-
tions, des conseils murmurés moitié en anglais, moitié
en français, têtes collées et mouchoirs partagés. Quand
ma tante Bea partait, ma mère lui glissait un billet de
banque dans la main ou dans la sacoche.

« Please, don't do that. You don't have to do that,
Rhéauna... I'm the elder, I should be the one to give you
money...

— Take it. You need it more than I do... And don't speak that loud, Michel is probably listening to us... »

J'avais entendu mon nom, je pointais l'oreille. Trop tard...

*

Je suis couché sur le dos ; je lis. Comme tous les soirs avant de m'endormir. À cause de la présence de ma tante Bea, nous avons regardé *I Love Lucy*, à la télévision, plutôt que *Les Belles Histoires des pays d'en haut*. C'est donc un lundi soir d'hiver. À huit heures et demie, ma mère m'a fait signe de me retirer dans ma chambre, une pièce double qui donne au coin de Mont-Royal et Cartier, que je partage avec mes deux frères aînés. J'ai compris que ma tante Bea avait quelque chose à lui raconter et je suis parti, livre sous le bras, sans trop rechigner.

Je n'arrive pas à me concentrer sur ma lecture, cependant. C'est pourtant un livre qui me passionne, *Le Château des Carpates* de Jules Verne ou un roman du Captain W. E. Johns ; un énorme volume tout décati, tout mou et fleurant la poussière, que j'ai emprunté à la Bibliothèque municipale, en face du parc Lafontaine. J'ai suivi mon rituel habituel : je me suis assis au bord du sofa basculant qui me sert de lit, j'ai serré le volume sur ma poitrine après m'être bien imprégné de son odeur, j'ai fait une courte prière non pas à Dieu mais à la joie de lire, si forte, si puissante, que j'ai tellement peur de perdre en *vieillissant* (j'ai peut-être un gros dix ans et, naïvement, je suis hanté

20

par l'idée d'être un jour blasé parce que j'aurai tout lu, alors je prie pour que ma joie reste complète jusqu'à ma mort et pour que les auteurs de livres continuent à écrire!), puis je me suis étendu sur le dos, l'oreiller plié dans le cou. Le plaisir d'ouvrir le livre, de bien casser la reliure du dos, de vérifier combien de pages il me reste à lire... Mais, ce soir-là, rien n'y fait : les murmures, les éclats de voix mal retenus qui proviennent de la salle à manger où fument deux tasses de thé vert m'empêchent de me concentrer sur les aventures de Franz de Telek, le héros de Jules Verne, ou de Worrals, l'héroïne du Captain Johns que j'aime tant parce que c'est une femme, une aviatrice qui arrive toujours à déjouer les méchants nazis, autant que ses compagnons, Biggles et King, que je trouve un peu ennuyants avec leur arrogance de mâles trop sûrs d'eux (je ne suis pas encore tombé amoureux de King). Worrals, elle, au moins, il lui arrive d'avoir peur !

Des bribes de conversation me parviennent après avoir traversé la maison, des mots que je comprends, d'autres, en anglais, dont j'essaie de deviner le sens, de juger le poids parce qu'ils sont dits avec une telle détresse. Je crois qu'elles ont un peu pleuré et j'ai sorti la tête et les épaules du lit en m'appuyant de la main sur le plancher. Mais je n'entendais pas mieux et mon poignet s'est vite engourdi. J'ai pensé me lever doucement, longer le corridor, aller me réfugier dans le minuscule cagibi qui fait le coin de la cuisine, mais le plancher craque et j'en ai payé les conséquences, la dernière fois qu'on a reçu de la visite : « Maudit senteux, va donc dormir dans ton lit au lieu d'écouter les adultes ! Tu comprendrais pas ce qu'on dit, de toute façon! Y'est-tu fatiquant! Toujours le nez fourré partout!»

J'essaie de me replonger dans ma lecture. Du bruit, dans la cuisine. Des tasses et des soucoupes qui s'entrechoquent, un sac à main qui s'ouvre, quelqu'un qui se mouche, le sac à main qu'on referme. Clac! métal contre métal. Ma tante Bea s'en va. Je sais ce qui va suivre, c'est toujours la même chose, et je décide de faire semblant de dormir pour ne pas avoir à subir les assauts mouillés de la «jumelle» de ma mère qui sent un peu trop à mon goût le parfum de matante propre... Mais je n'ai pas le temps d'éteindre la lumière, elles sont déjà dans le corridor qui mène à ma chambre.

«*He's already sleeping... With a book on his chest... Isn't that cute...*

— Ouan... Y va finir par s'arracher les yeux avec ses folleries...»

Le ton de ma mère est sans équivoque: elle sait très bien que je ne dors pas et elle veut que je sache qu'elle n'est pas dupe de mon petit jeu.

«*You can't say he reads too much...* C'est toé qui l'encourages à lire...

— J'y dis de pas se casser le cou quand y lit, de pas lire couché, de lire assis, le corps droit, de faire attention qu'y'aye assez de lumière, que la lumière vienne de la gauche, de l'éteindre avant de s'endormir... Y'écoute pas, y'écoute pus, y'écoute jamais...

— *Don't say that, he looks so sweet...*

— Ben oui, *he looks so sweet* quand y'a du monde, mais y'est pas du monde quand chus tu-seule avec lui!

— Chus sûre que t'exagères... »

Puis vient la punition. Elle le fait exprès, j'en suis convaincu.

« Bon, ben embrasse-lé avant de partir, là, sinon, j'vas me fâcher pis ça va le *réveiller* ! »

Horreur ! Une masse compacte et molle en même temps se penche au-dessus de moi, un parfum qui a peut-être tourné m'envahit les narines, un bec mouillé et gras me barbouille la joue. Je ne peux pas lever la main pour m'essuyer, je dois rester parfaitement immobile, ma mère le sait très bien et je la sens qui ricane intérieurement. Je pourrais faire semblant de me réveiller, sourire à ma tante, me tourner vers le mur en remontant la couverture, mais je décide de jouer le jeu jusqu'au bout et je reste parfaitement inerte, comme un poids mort dans mon lit. Elle ne gagnera pas, elle ne me fera pas jouer une scène que je ne suis pas sûr de réussir, elle ne saura jamais si je dormais vraiment ou non.

« *You were lucky with your last child, Rhéauna. He looks like an angel!*

— Ouan. Un ange cornu. Avec des ailes de tôle ! »

L'AUBERGE DE L'ANGE-GARDIEN

Comtesse de Ségur

Dans ma famille, la légende veut que dès mon plus jeune âge on m'ait vu me promener dans la maison avec un livre serré contre ma poitrine. Les légendes interprètent à leur façon des faits parfois bien insignifiants ; celle-ci en est un exemple probant : à partir de deux ou trois ans, je me suis promené dans la maison avec un livre serré contre ma poitrine tout simplement parce que j'étais le commissionnaire de ma grand-mère Tremblay !

Olivine Tremblay (née Tremblay d'ailleurs, des Éboulements, et qui n'a jamais abandonné son bel accent de Charlevoix) était une lectrice invétérée qui dévorait n'importe quoi, Balzac et Bordeaux, Zola et Zévaco, sans distinction, sans mépris pour les uns et admiration humide pour les autres, pour l'histoire qui lui était racontée entre les deux couvertures et, surtout, je crois, pour les heures d'oubli que lui procuraient les livres qu'elle empruntait à la Bibliothèque municipale. Elle avait élevé trop d'enfants à son goût — sept, je crois — et les laissait s'occuper des leurs sans trop s'en mêler. En vivant, je suppose, à travers des livres venus de France, les grandes aventures qui lui avaient été refusées.

Discrètement installée au fond de sa chaise berçante dans le coin de la salle à manger, elle disparaissait avec un évident plaisir dans le salon des Guermantes ou les clochers de Notre-Dame-de-Paris, mouillant son pouce pour tourner les pages, fermant parfois les yeux à la fin d'un chapitre particulièrement beau. Je me souviendrai toujours du jour où, plongée dans la lecture du *Vicomte de Bragelonne*, elle s'était mise à ricaner en s'apercevant qu'un des méchants du roman, le gouverneur de la Bastille, était un Tremblay :

« Y'a un Tremblay qui est resté en France, Nana ! Pis y'est devenu un bandit, chère ! Pis gouverneur de la Bastille ! Enfin un Tremblay qui a fait quequ'chose de sa vie ! »

Ma mère et elle avaient beaucoup ri et je n'avais pas compris pourquoi.

Je l'ai connue très vieille — elle avait déjà plus de soixante ans quand je suis né — et elle me faisait un peu peur parce qu'elle boitait. Je l'entendais se lever tous les matins, quand nous habitions l'appartement de la rue Fabre, et le bruit qu'elle faisait en longeant le long corridor qui menait de sa chambre à la cuisine hantait mon dernier sommeil : un pas lourd, une jambe qui glisse sur le plancher, un pas lourd, une jambe qui glisse sur le plancher... (Quand il entendait sa mère marcher, mon père disait en me faisant un clin d'œil : « Une fois oui, une fois non ; une fois oui, une fois non... ») Plus tard, quand j'ai lu *L'Île au trésor* de Stevenson, j'ai tout de suite associé la démarche de Long John Silver à celle de ma grand-mère Tremblay, et c'est elle, un œil caché derrière un bandeau noir et une jambe de bois gossée à la main, qui terrorisait le pauvre héros du roman. J'appelais le pirate *Long John Silvette* et j'en avais moins peur...

Elle aimait lire, donc, mais elle était plutôt oublieuse et laissait souvent son livre dans sa chambre.

«Michel, cher tit-gars, irais-tu chercher le livre de grand-moman dans sa chambre?»

Et, curieusement, elle oubliait surtout son livre *le soir* quand il faisait très noir...

«J'pense que grand-moman l'a échappé à terre, cher... Ça se peut qu'y soit en dessours du litte! R'garde comme faut, r'viens pas en disant qu'y'est pas là, y'est là!»

Il m'est difficile de décrire la terreur de ces courts moments passés dans la chambre de ma grand-mère plongée dans le noir, à la recherche d'un livre ouvert sur la chaise de cuisine qui lui servait de table de chevet ou par terre, près du lit, alors que les bilous, ces amas de poussière que mes frères prétendaient être des monstres en devenir qui naissaient sous les lits pour mordre les orteils des petits enfants, risquaient de me sauter dessus d'une seconde à l'autre... Une terreur pure, blanche, qui me donne encore des frissons quand j'y pense. Mes frères, que je croisais parfois dans le corridor, me disaient: «Tu t'en vas dans la chambre de grand-moman?» en roulant de grands yeux ronds... Si je ressortais de cette maudite pièce avec le maudit livre collé contre moi, ce n'était pas par amour anticipé de la littérature (j'étais même trop jeune pour savoir ce que lire signifiait), mais bien parce que j'avais peur et que je m'accrochais à la seule chose tangible à ma portée à ce moment-là... Il est même curieux que tout ça ne m'ait pas dégoûté de la lecture à tout jamais.

Ce qui contribua aussi à perpétuer dans la rue Fabre la légende du petit-garçon-qui-rêvait-très-jeune-d'apprendre-à-lire était le fait qu'habitait en face de chez nous une dame Allard, infirme comme ma grand-mère, dévoreuse comme elle de n'importe quoi qui se lisait, et qui échangeait avec la mère de mon père les livres qu'elle empruntait elle-même à la bibliothèque de la paroisse Immaculée-Conception... Elles avaient droit à trois livres chacune toutes les deux semaines et en lisaient donc six en comptant ceux que je livrais aussitôt lus.

« Grand-moman a fini ce livre-là hier soir, cher, irais-tu le porter à madame Allard en y demandant d'y en prêter un qu'a'l'a fini ? »

(C'est bizarre, cette façon que les Québécois ont de parler d'eux à la troisième personne quand ils s'adressent aux enfants, comme s'ils n'existaient pas vraiment : « Moman veut pas que tu fasses ça », « Popa veut savoir si t'as été un bon garçon, aujourd'hui », « Viens voir mon oncle, y va te donner une belle surprise... », « Viens embrasser ma tante... »)

Je traversais donc la rue tous les deux jours, un livre serré contre ma poitrine, sous le regard des voisins, en été, qui en arrivaient aux mauvaises conclusions...

Une dernière chose avant de quitter ma grand-mère lisant devant l'énorme appareil de radio toujours branché sur les romans-fleuves de Radio-Canada ou de CKAC, seules choses, disait ma mère, qui pouvaient lui faire lever le nez de ses volumes : elle n'a jamais parlé à madame Allard avec qui elle a échangé des livres pendant des années! Infirmes toutes les deux, elles ne sortaient jamais et il ne leur est jamais arrivé, je suppose, de ressentir le besoin de communiquer par téléphone. Parfois, l'été, ma grand-mère, installée sur le balcon avec un Seven-Up, boisson qu'elle adorait, me regardait traverser la rue avec un roman que j'allais livrer chez son amie qu'elle ne connaissait pas. Madame Allard aussi était sur son balcon. Les deux femmes s'envoyaient doucement la main, se saluaient d'un signe de tête, et c'était tout. Elles ne se demandaient jamais: « Avez-vous aimé ce livre-là? », ne se disaient pas non plus: « Vous allez ben aimer celui-là, c'est ben triste... », non, elles savaient probablement qu'elles aimaient n'importe quoi qui se lisait et que toute critique ou toute appréciation serait superflue.

Pendant ce temps-là, je m'habituais à tenir des livres serrés contre moi. Je me surprends encore souvent, à cinquante et un ans, surtout quand le volume est pesant, au milieu de ce geste automatique, ce tic, presque, que j'ai, et chaque fois j'ai un sourire intérieur pour Olivine Tremblay qui m'a appris à me promener dans la rue en tenant sur mon cœur tout le savoir du monde.

*

Le premier livre que j'ai lu dans ma vie fut *L'Auberge de l'Ange-Gardien* de la comtesse de Ségur, et ce fut toute une aventure.

J'avais sept ou huit ans, je servais d'intermédiaire entre ma grand-mère et notre voisine d'en face depuis quelques années et je commençais à me demander sérieusement ce que ces gros livres sans images pouvaient bien contenir de si passionnant pour que deux vieilles madames y passent des journées entières. J'avais des livres à moi, mais ils étaient pleins de grandes illustrations jolies et colorées et les textes qu'ils contenaient étaient courts, imprimés en grosses lettres, alors que les volumes poussiéreux que je transportais, gris ou bruns de couverture, le papier jauni et taché par l'usage, le minuscule caractère d'imprimerie décourageant la lecture, ne recelaient même pas un seul petit dessin sur lequel se rattraper si on ne comprenait pas bien tout ce qui était écrit. Mais je trouvais qu'ils sentaient divinement bon et je m'y frottais de plus en plus souvent le nez...

Un après-midi de décembre, je vis mon père faire le guet devant la chambre de mes parents, et je me dis: «Ça y est, c'est Noël ben vite, moman est en train de cacher les cadeaux.» Chaque année, elle dissimulait les cadeaux de Noël dans le fond de sa garde-robe parce qu'elle savait que j'avais peur des millions et des milliards de monstres qui s'y terraient et que jamais au grand jamais je n'irais fouiller là-dedans... Mais je vieillissais et les histoires de mes frères et de mes cousines, si commodes pour me garder tranquille quand j'étais tout petit, commençaient à sentir le réchauffé... Je me doutais depuis un bon moment déjà que les placards de la maison étaient trop petits pour servir de refuge en même temps à King-Kong, à la méchante sorcière de *Blanche-Neige* et au Diable lui-même en personne, avec sa cour de démons fourchus et mal embouchés et sa panoplie d'instruments de torture de

toutes sortes. Un dans chaque garde-robe peut-être...
Mais *tous* dans *chaque* garde-robe, non, vraiment, pour
qui me prenait-on ?

J'attendis donc au samedi matin suivant, le moment
que ma mère avait choisi pour faire son marché de la
semaine chez monsieur Soucis — qu'elle prononçait
Soucisse et à qui elle n'osait jamais demander s'il avait
de la belle saucisse —, pour me glisser furtivement dans
la chambre de mes parents. J'avais quand même un peu
peur, mais la curiosité l'emporta et personne ne me
tendit de pomme empoisonnée quand je tirai la porte.
Ils étaient tous là, les miens, ceux de mes frères, de ma
cousine Hélène, de mon cousin Claude, empilés n'importe comment et *pas encore emballés* ! Je savais que
les patins à glace étaient destinés à Bernard qui hurlait
depuis un an pour en avoir, que les disques allaient
tourner jusqu'à l'écœurement sur l'appareil de Jacques
qui venait de s'acheter un tourne-disque pour les qua-
rante-cinq tours dont le poteau central faisait rougir ma
grand-mère Tremblay, que les produits de beauté étaient
pour Hélène, la boîte de chocolats pour son frère Claude,
qui, à douze ans, ne tolérait aucun jouet et dont le seul
plaisir semblait être de s'empiffrer.

Il ne restait que des babioles sans intérêt — des niaiseries pour remplir un bas de Noël d'enfant gâté
— et un *livre*. Un vrai livre comme ceux que lisaient
les autres membres de ma famille, avec très peu d'illustrations et *beaucoup* de texte. Une couverture rose,
une illustration où dominaient le bleu, le jaune, le rouge,
représentant un petit garçon blond endormi sous un
arbre, un autre petit garçon, un peu plus vieux —

sûrement son frère — qui se préparait à le couvrir avec sa veste, un monsieur drôlement habillé penché sur eux — en fait, c'était un zouave — et un saint-bernard, air bonhomme et langue pendante. *L'Auberge de l'Ange-Gardien*. Comtesse de Ségur. Comtesse? Quel drôle de prénom!

J'étais tellement excité que j'ai failli éternuer. Je me suis fourré la tête dans les cadeaux en me bouchant le nez... Rien. Le danger était passé. Je pouvais ouvrir le livre.

Mais avais-je le droit de le faire? Non, bien sûr. Les Fêtes ne viendraient que quelques semaines plus tard et il était absolument défendu de toucher à un cadeau de Noël avant le vingt-cinq décembre sous peine de péché! Véniel, peut-être, mais un péché tout de même! Qu'il faudrait confesser! Je me voyais à genoux dans le noir en train de raconter au prêtre que j'avais lu mon cadeau de Noël trois semaines avant le temps...

«Et qu'est-ce que tu as fait, quand ta mère t'a donné ton cadeau, le matin de Noël?

— Ben, j'ai faite mon surprise!

— Un mensonge en plus! Ça va te coûter cher, ça, mon p'tit gars!»

Misère! J'avais entre les mains l'objet que je convoitais le plus au monde et je n'avais pas le droit d'y toucher!

Ce fut là, je crois, l'une des plus grandes tentations de ma vie. À laquelle je cédai en tremblant, d'ailleurs, convaincu de poser un geste grave, de tromper mes parents, de mériter une gigantesque punition, comme d'aller chercher le charbon pour la fournaise, dans le hangar derrière la maison, pendant tout le reste de l'hiver... Mais c'était plus fort que moi, je voulais savoir qui étaient ces enfants, cet homme et, surtout, moi qui n'avais pas le droit d'entrer d'animaux dans la maison, qui était ce chien! J'ouvris le livre qui craqua un peu, le refermai en sursautant, passai ma main sur la couverture brillante. Il ne fallait quand même pas que ça paraisse que je l'avais trouvé! La deuxième fois, j'osai aller jusqu'à la première page de texte.

Au début, tout alla bien: «Il faisait froid, il faisait sombre; la pluie tombait fine et serrée; deux enfants dormaient au bord de la grande route, sous un vieux chêne touffu...», quoique je trouvais que la première phrase, étalée sur *treize* lignes, était bien longue. Et l'emploi du point-virgule et des deux-points était encore brumeux dans mon esprit. Mais je comprenais bien, c'était tout de suite la description de l'illustration de couverture et je pouvais m'y référer quand je le voulais. Je n'avais qu'à mettre l'image de la couverture sur les mots et tout était à peu près clair.

Mais je rencontrai mon premier écueil deux pages plus loin, et je restai perplexe et immobile devant le livre. Page neuf, après quelques courts dialogues entre guillemets que je compris bien, la comtesse de Ségur écrivait ceci:

« L'ENFANT. — Moi, ça ne fait rien; je suis grand, je suis fort; mais lui, il est petit; il pleure quand il a froid, quand il a faim.

L'HOMME. — Pourquoi êtes-vous ici tous les deux ? »

Qu'est-ce que le mot « homme » et le mot « enfant » faisaient là, suivis d'un point et d'un tiret ? Est-ce que ça voulait dire qu'ils parlaient ? Est-ce qu'il fallait dire les noms des personnages à voix haute dans sa tête avant de lire le reste ? Si oui, ça me dérangeait parce que je n'aimais pas m'entendre dire « L'enfant » avant de lire ce que l'enfant avait à dire ! C'était donc bien niaiseux ! Je n'avais pas besoin de ça pour comprendre, je n'étais pas un épais, alors pourquoi l'avoir mis là ? Y avait-il une raison que je ne saisissais pas ? Pourtant futur auteur de théâtre, cette façon de transcrire des dialogues me rebuta tellement qu'après avoir recommencé une dizaine de fois la page neuf sans trouver de réponse à ma question, je me mis à pleurer dans mon livre. Si je ne comprenais pas au bout de trois pages, qu'est-ce que ce serait sur cent quatre-vingt-dix ? Une grosse peine d'enfant qui sait pourquoi il pleure mais qui n'a personne pour lui donner la solution à son problème me chavirait le cœur. Je n'étais pas loin de penser que j'étais déjà puni de ma mauvaise action. Je refermai le livre en me disant que, le matin de Noël, quelqu'un de ma famille m'expliquerait tout ça et que je pourrais enfin lire *L'Auberge de l'Ange-Gardien*. Ça ne me soulageait qu'à moitié, cependant, parce que, déjà trop orgueilleux, j'aurais voulu comprendre tout seul. Je me mouchai tant bien que mal dans la manche de mon chandail de laine et remis le livre à sa place.

Mais, au risque de me faire surprendre, je revins presque chaque jour ouvrir le livre pour essayer de saisir pourquoi Comtesse — on aurait vraiment dit un prénom de chien ! — de Ségur avait écrit ses dialogues de cette façon-là. Je feuilletais les pages, je me rendais compte que ce genre de dialogues se retrouvait partout dans le livre, je le refermais brusquement en me disant que je n'arriverais jamais au bout de l'histoire parce que ça m'énervait trop de voir les noms des personnages en lettres majuscules à tout bout de champ... Je faisais une véritable fixation sur les dialogues de *L'Auberge de l'Ange-Gardien* et je me mis à haïr le livre avant même d'avoir dépassé la page neuf.

Les Fêtes approchaient et un bon matin je trouvai mon livre emballé dans un grand portrait de père Noël hilare.

Puis, une nuit, une question me frappa qui me cloua sur place, incapable de bouger et le cœur dans un étau : est-ce que tous les livres étaient écrits de cette façon-là ? Et est-ce que ça voulait dire que je n'aimerais jamais lire ?

*

Mon père n'avait jamais le droit d'apporter d'alcool à la maison — depuis son mariage avec maman, vingt ans plus tôt, c'était une règle immuable à laquelle il n'avait jamais dérogé —, sauf à l'époque des Fêtes, parce qu'il fallait bien payer la traite à la visite. Aussi en profitait-il à ce moment-là pour lever sérieusement le coude à la moindre occasion. Tout au long de l'année, il buvait de la bière en compagnie de ses amis à la taverne près de chez nous, mais une ou deux semaines avant Noël, je voyais arriver discrètement caisses de bières et cartons de fort (du gros gin Bol's, du rye qu'affectionnait particulièrement papa, du whisky de mauvaise qualité, un gallon de vin blanc québécois — l'infâme Québérac que ma mère servait aux dames dans des coupes de couleur en le coupant de moitié d'eau et en disant: «Faites attention, c'est ben fort!» — des bouteilles vertes, des bouteilles brunes, des minces sans épaules et des grosses aux épaules carrées) que ma tante Robertine et maman rangeaient sous l'évier de la cuisine, là où elles étaient convaincues que les hommes n'iraient pas les chercher. Mon oncle Gérard et mon oncle Fernand, les frères de mon père qui habitaient avec nous, étaient eux aussi portés sur la boisson, pour employer un euphémisme, et devaient absolument ignorer qu'on en avait à la maison.

Dès le début de décembre, mon père demandait souvent avant de partir pour le travail, vers quatre heures de l'après-midi:

«As-tu acheté le fort pour les Fêtes, Nana?»

Maman répondait:

«Chus pas folle, j'veux qu'y'en reste quand Noël va arriver!»

Il lui donnait une tape sur son derrière rebondi.

«Tu me connais trop.»

Elle avait un petit sourire.

«Ouan. Pis si j'avais su, j't'aurais tricoté sans gorgoton à mouiller à tout bout de champ!»

Pendant les vacances de Noël, papa commençait à caler ses petites shots de rye vers trois heures, était rouge tomate à quatre, s'épongeait déjà à cinq et était de *très* bonne humeur à partir du souper. Parenté en visite ou non, il lançait toast sur toast, racontait des histoires plus ou moins cochonnes, chantait fort et faux des chansons dont il n'avait jamais très bien compris les paroles parce qu'il était sourd, ce qui donnait des choses comme : «Ah, le petit vin blanc, qu'on voit sous les tonnes d'ailes, quand les filles sont belles, du côté de nos gens...» Quand il exagérait vraiment, maman se postait derrière sa chaise et lui passait la main dans le dos ; il s'arrêtait quelques minutes, après s'être excusé, puis reprenait de plus belle avec une nouvelle chanson : «Mickey, Mickey, mais qu'est-ce que t'as, une histoire de tous les jours...»

Il était le boute-en-train de toutes les réunions de famille, faisait rire les hommes et rougir les femmes, terrorisait les enfants parce qu'il parlait trop fort, mais il savait toujours quand s'arrêter et je ne l'ai jamais vu saoul au point de nous faire honte. Au milieu d'un toast, d'une chanson ou d'une histoire, il disait : «Chus peut-être sourd, mais j'viens d'entendre ma petite sonnette, y faut que j'arrête !» Il déposait son verre, et c'était habituellement le signal de la fin des festivités parce qu'il entonnait un sonore et vindicatif *Ô Canada* que tout le monde reprenait en chœur, debout à l'attention et la main sur le cœur.

Et le lendemain matin, pour se remettre, il commençait sa journée avec une bière coupée de jus de tomate. Tous mes souvenirs de matins de Noël sont donc agrémentés de la vision de mon père, frappé d'un affreux mal de tête, essayant de se replacer les intérieurs avec ce qu'il appelait *une p'tite bière rouge*.

Ce matin de Noël là, après avoir fait l'énervé devant mes cadeaux que je connaissais déjà — les enfants se pensent tous de grands acteurs — et l'excité en arrachant l'emballage de mon livre de la comtesse de Ségur, je me jetai dans la lecture de *L'Auberge de l'Ange-Gardien* sous le regard mouillé de mes parents. Ma mère me passait la main dans les cheveux coupés trop courts à mon goût, surtout pour l'hiver.

« J'te l'avais ben dit, Armand, je le savais qu'y serait content d'avoir un beau livre pour Noël ! »

Mon père s'était penché par-dessus mon épaule et je pouvais sentir son haleine de bière où flottaient encore des relents du rye de la veille. Il me prit le livre des mains.

« La comtesse de Ségur... C'pas un livre de fille, ça ?

— Voyons donc ! R'garde la couverture ! Y'a trois personnages, pis c'est des hommes !

— Tant qu'à ça... Mais lui, là, en arrière, là, le gars, là, veux-tu ben me dire comment est-ce qu'y'est déguisé ?

— C't'un zouave, Armand, jamais je croirai que t'as jamais vu ça, un zouave ?

— Ah oui, c'est vrai, 'gard donc ça... Mais c'est la première fois que j'en vois un en couleurs... j'pensais pas qu'y'avait tant de couleurs que ça dans leur costume, moé, j'pensais que c'tait... j'sais pas... gris ou kaki... y me semble qu'on va pas à'guerre habillé en pantalons bouffants rouge et bleu pis avec un bonnet à pompon...»

Pour faire diversion, parce que les discussions de mes parents pouvaient durer des heures, la mauvaise foi de l'un poussant celle de l'autre vers de nouvelles limites, j'en profitai pour poser une des questions qui me tracassaient tant:

«Pourquoi a' s'appelle Comtesse?»

Ma mère fronça les sourcils.

«Qui, ça?

— La femme qui a écrit le livre, pourquoi a' s'appelle Comtesse?»

En voyant fleurir le petit sourire à ses lèvres, je sus tout de suite que je venais de faire une gaffe et que j'allais encore l'entendre raconter mon dernier mot d'enfant au téléphone.

«C'est pas son nom, comtesse...

— C'est quoi, d'abord, si c'est pas son nom?

— C'est un titre.

— Le titre, c'est pas *L'Auberge de l'Ange-Gardien*?

— J'veux dire un titre de noblesse... Une comtesse... c'est comme une reine mais en moins important. C'est comme en dessous d'une reine...

— Ça reste en dessous d'une reine?

— Michel, s'il vous plaît, fais pas semblant que tu comprends pas pour me faire parler, là...

— J'fais pas semblant...

— J'ai pas dit que ça restait en dessous... Comment j'pourrais te dire ça... Les enfants des rois pis des reines, ça s'appelle des princes pis des princesses, ça tu comprends ça...

— Ben oui...

— Ben les comtes pis les comtesses...

— C'est les enfants des princes pis des princesses?

— Michel, c'est le matin de Noël, mais si tu me laisses pas parler, m'as te donner une claque derrière la tête! C'est comme... je sais pas, des cousins pis des cousines, mettons... C'est ça, tiens... La comtesse de Ségur, là, a' doit avoir un cousin ou ben donc une cousine qui est roi ou ben donc reine quequ' part en Russie...

— Y'a des rois pis des reines, en Russie?

— Non... C'est-à-dire que y'en avait, mais y'en a pus depuis que les communistes ont débarqué... Pis ça s'appelait pas des rois pis des reines, ça s'appelait des tsars pis des... C'est quoi, Armand, le féminin de tsar?»

Mon père était depuis longtemps retourné dans le fond de son verre de bière rouge.

«Quoi, que c'est que tu dis?»

Ma mère prononça bien chaque mot pour qu'il comprenne.

«C'EST QUOI, LE FÉMININ DE TSAR?

— Le féminin de quoi?

— TSAR! TSAR! LE TSAR DE RUSSIE!

— J'le sais-tu, moé... J'sais pas... tsarette?»

La voix de ma grand-mère Tremblay nous parvint de l'autre bout de l'appartement.

«C'est tsarine, le féminin de tsar, pis arrêtez de crier de même un matin de Noël!»

Ma mère tourna un peu la tête.

«Merci, madame Tremblay. Mais on crie pas, on discute!»

Mon père ne suivait plus bien ce qui se passait.

«À qui tu parles, là?

— À TA MÈRE! A' DIT QUE LE FÉMININ DE TSAR, C'EST TSARINE!

— Tsarine? On dirait un nom de fruit! Aïe, Michel, mangerais-tu une p'tite tsarine?»

Il rit, cala sa bière. Ma mère leva l'index.

«C'est fini, la boisson, jusqu'à à soir, Armand! Si t'es comique de même à neuf heures du matin, que c'est que ça va être quand la visite va arriver!»

Il haussa les épaules mais ma mère savait très bien qu'il allait lui obéir.

Je m'étais replongé dans ma lecture ou, plutôt, j'avais fait semblant, pour en arriver enfin à la maudite page neuf...

«Moman...

— Que c'est qu'y'a, encore?

— J'ai une autre question.

— Si tu poses des questions comme ça à chaque ligne que tu lis, tu vas me faire regretter de t'avoir acheté un livre!»

Je fis une crise très sérieuse et très longue lorsque ma mère me confirma ce que j'avais déjà compris: les noms des personnages étaient écrits pour indiquer qu'ils parlaient. Tout simplement. Et moi je ne voulais pas. Tout simplement.

«J'veux pus lire! Jamais!

— Voyons donc! Y veut pus lire! T'es rien que rendu à'page neuf de ton premier livre! Essaye encore un peu, bonyeu, tu vas finir par t'habituer! C'est quand même pas toi qui vas montrer à la comtesse de Ségur comment écrire des livres, verrat!»

Elle porta une main à sa bouche, l'autre à son cœur.

«Ça y est, y m'a faite sacrer un matin de Noël!

— Grand-moman Tremblay a dit, l'autre jour, que «verrat» c'tait pas un sacre! Un verrat, c'est cochon, pis un cochon, ça peut pas être un sacre!

— Aïe, tu viendras pas non plus décider que c'est qui est un sacre pis que c'est qui en est pas un ici-dedans, O.K.? Pis laisse faire ta grand-mère Tremblay... Ta grand-mère Tremblay a les idées un peu trop larges, des fois...»

La voix de ma grand-mère nous parvint une deuxième fois du fond de l'appartement:

«J'ai entendu c'que tu disais, Nana...

— Vous êtes pas comme votre fils, vous! Vous avez les oreilles comme des cornets de gramophone!»

Ma grand-mère rit, il n'y aurait pas de chicane. De toute façon, les deux femmes s'adoraient et leurs engueulades, toujours pour des niaiseries, ne duraient jamais bien longtemps.

Ma mère s'adoucit tout d'un coup comme elle le faisait souvent, en laissant échapper ce long soupir dont on ne savait jamais trop s'il était d'exaspération ou de soulagement. Elle se leva, s'assura que sa robe neuve — une vaste chose assez impressionniste par les formes vagues du dessin et les couleurs pastel qu'elle avait achetée pour rien, disait-elle, chez Dupuis Frères — n'était pas restée coincée entre ses cuisses, une des grandes hantises de sa vie.

« Essaye encore de lire une dizaine de pages, pis si t'aimes toujours pas ça, on t'en achètera un autre avec des dialogues qui sont pas écrits comme ceux-là... C'est pas soixante-quinze cennes qui vont nous casser, jamais je croirai !

— C'est pas toujours comme ça ? Dans les autres livres, c'est pas comme ça ? »

Soudain, pendant une longue seconde, tout mon avenir fut suspendu aux lèvres de maman, j'avais l'impression qu'elle avait le pouvoir de décider si j'allais devenir un lecteur comme ma grand-mère ou quelqu'un qui détestait les livres comme mon frère Bernard. J'avais eu le temps de pencher la tête sur mon livre en attendant sa réponse. Je la priais intérieurement comme on m'avait montré à prier le bon Dieu : « Dis que c'est pas comme ça, moman, dis que c'est *jamais* comme ça dans les autres livres, pis chus sauvé ! »

« J'ai pas lu tous les livres qui ont été écrits depuis le début de la Création comme ta grand-mère Tremblay, mais j'peux te dire que c'est le premier livre que je vois écrit comme ça ! »

J'avais entendu ma grand-mère approcher pendant que maman parlait (un pas lourd, une jambe qui glisse sur le plancher...) et elle déboucha dans la salle à manger juste à temps pour demander à sa bru :

« T'as jamais lu la comtesse de Ségur quand t'étais petite, Rhéauna ? Tous ses livres sont écrits comme ça... »

Les yeux foncés de ma mère se rétrécirent comme lorsqu'elle était sur le point de nous lancer une de ses reparties qui faisaient la joie de toute la famille.

« La comtesse de Ségur s'est jamais rendue jusqu'en Saskatchewan, madame Tremblay. Son billet de bateau s'arrêtait à Montréal ! »

Je vis aussitôt une belle princesse debout sur le pont d'un navire amarré dans le port de Montréal, une caisse de *L'Auberge de l'Ange-Gardien* posée à côté d'elle. Quelque chose n'allait pas dans cette image, mais je n'avais pas le temps de m'y arrêter.

Les deux femmes sourirent ; ma mère se tourna vers la cuisine.

« En attendant, laissez-moi commencer ma farce de dinde. Si la visite veut manger à soir, faut que je commence tu-suite... »

Ma grand-mère s'installa dans sa chaise berçante devant la radio, mais elle n'alluma pas l'appareil. Elle posa ses mains à plat sur ses genoux. J'aimais regarder ses belles mains aux veines saillantes, usées par des décennies de lavages à l'eau froide et de travaux trop rudes. Mon père disait qu'il fallait laisser sa mère tranquille quand elle lisait, que c'était la grande récompense de sa vie, qu'elle avait mérité une vieillesse paisible.

« Veux-tu que j't'aide ?

— Quand j'veux lire avec vous dans votre chambre, vous me dites toujours qu'on peut pas lire à deux...

— J'veux juste te donner un p'tit conseil, cher, pis après j'vas te laisser tranquille... Quand t'arriveras aux noms des personnages, passe par-dessus, fais comme si tu les voyais pas, lis-les pas dans ta tête, pis ça va ben aller...

— On est pas obligé de tout lire, dans un livre ?

— On lit c'qu'on veut ben lire, cher... »

*

Je n'arrivais pas vraiment à faire abstraction des noms des personnages en lisant, mais je fus vite pris par l'histoire. Les petits enfants perdus au bord du chemin, le brave zouave qui les prenait sous son aile protectrice, la belle aubergiste qui les accueillait tous, les nourrissait, les logeait sans rien leur demander d'autre que de transporter le lait... *Transporter le lait ?* En petit garçon de la ville qui n'avait qu'à ouvrir la porte de l'appartement pour trouver chaque matin deux pintes de lait posées sur le paillasson, j'avais un peu de difficulté à imaginer qu'on puisse aller puiser le lait directement de

la vache ou les œufs de dessous le ventre de la poule...
J'apprenais toutes sortes de choses sur la vie à la campagne, des noms d'arbres et de fleurs, de mets dont je
n'avais jamais entendu parler ; au bout de quinze pages,
j'étais amoureux fou du chien Capitaine et je rêvais
d'avoir une mère aubergiste...

Mais les deux petits garçons, Jacques et Paul, me semblaient bien bizarres, à la longue. Pour des fils de fermiers, ils parlaient drôlement bien, prononçaient toutes
les syllabes bien comme il faut, faisaient leurs négations
sans jamais en omettre une seule, étaient polis et parfaits ; enfin, bref, ils m'énervaient un peu. Parce que je
n'arrivais pas à m'identifier à eux, je suppose. C'étaient
des enfants, mais des enfants comme je n'en avais
jamais vus dans ma vie. Si quelqu'un avait parlé comme
eux dans ma classe, il se serait vite fait casser la gueule !
De plus, on aurait dit qu'ils voulaient absolument faire
pitié et ça me tombait sur les nerfs : leur mère était
morte, bon, O. K. ; leur père avait disparu, enlevé par des
soldats, bon, O. K. ; ils nous auraient appris qu'ils étaient
malades et infirmes que ça ne m'aurait pas surpris ! Une
toute petite pointe de jalousie commençait à se lover
dans le creux de mon ventre *parce qu'on parlait d'eux
dans un livre*, et j'essayais de lire un peu plus rapidement les passages qui leur étaient consacrés. Je leur
préférais les personnages secondaires que je trouvais
comiques : le zouave et son costume ridicule, qui parlait de la guerre comme d'une partie de bingo, l'aubergiste et sa sœur, la belle Elfy, que j'aurais voulu avoir
comme cousines pour boire du lait frais et gober des
œufs crus, le curé drôlement plus sympathique et moins
snob que le nôtre, le général Dourakine, surtout, qui

jetait l'argent par les fenêtres en riant et en buvant du champagne... C'était la première histoire vraiment longue que je lisais; j'étais ravi de pouvoir tout suivre sans difficulté et hypnotisé par le nombre de pages que la comtesse avait réussi à écrire!

Puis, au milieu de la description d'un repas, je tombai sur un bout de phrase qui me laissa pour le moins perplexe: «... vint un haricot de mouton aux pommes de terre.» Je relus bien attentivement la phrase. Je ne m'étais pas trompé...

«Grand-moman...

— Oui, cher...

— 'Gard, lis ça, là...

— Y'a quequ'chose que tu comprends pas?»

Elle lut la phrase complète plusieurs fois en fronçant les sourcils.

«Rhéauna...

— Qu'est-ce qu'y'a, madame Tremblay?

— Viendrais-tu ici, une menute?»

Ma mère arriva en s'essuyant les mains.

«J'ai peur de pas avoir assez de pain pour la farce...

— Lis donc ça, ici...

— T'nez le livre, j'ai les mains sales...»

Elle lut à son tour, penchée sur le livre.

Puis nous nous regardâmes tous les trois.

«Moman, des haricots, c'est des binnes, non?

— Ouan... Mais en France, ça peut être des petites fèves, aussi, j'pense...»

Ma grand-mère s'était replongée dans le livre.

«Comment est-ce qu'un mouton peut avoir des haricots, veux-tu ben me dire? Des haricots, c'est des légumes, ça peut pas pousser dans les moutons! Est-tu folle, elle! A'l'a jamais faite cuire de mouton de sa vie certain, c'te comtesse-là!

— C'est peut-être une erreur de l'imprimeur...

— C'est pourtant ça qui est écrit: «... puis vint un haricot de mouton aux pommes de terre». C'est pas écrit: «... puis vint un mouton aux haricots et aux pommes de terre...», c'est écrit: «... puis vint un haricot de mouton aux pommes de terre»! C'est ben là, on peut pas se tromper!

— C'est peut-être une partie du mouton que les Français appellent un haricot...

— Tant qu'à ça, t'as peut-être raison...

— Mais quelle partie, ça, par exemple...

— Les rognons, tiens, c'est vrai, c'est fait un peu comme des binnes...

— Ben oui, pis en anglais on dit *kidney beans*...

— Ah! ben, ça doit être ça...

— C'est ça, j'pense, Michel, on l'a trouvé... 'Coudonc, j'vois pas c'que ça pourrait être d'autre... C'est des rognons de mouton avec des patates.

— Pis des binnes...

— Ben non, madame Tremblay, ça serait écrit: «... puis vint un haricot de mouton avec des haricots et des pommes de terre...» C'est pas ça qui est écrit.

— Ça se mange, des rognons de mouton?

— Ça doit... On mange ben des rognons de veau, pis des rognons de porc...

— Tant qu'à ça. Comme ça, c'est juste des rognons de mouton avec des patates?

— Ça a ben l'air...

— Pas de légumes d'accompagnement?

— Ça a pas l'air...

— Même pas de petits pois?

— Ben non...

— Sont-tu drôles, les Français! Pis sont supposés avoir inventé la cuisine! Franchement! Moi, j's'rais assez gênée de présenter une assiette avec juste de la viande pis des patates... Une femme qui se respecte, ça prépare au moins un légume d'accompagnement, voyons donc!

— Peut-être qu'y sont trop pauvres...

— Voyons donc, Rhéauna, c'est des fermiers! Les légumes doivent leur sortir par les oreilles! En tout cas, y peuvent ben le garder pour eux autres, leur haricot de mouton aux pommes de terre, j'en mangerais pas pour tout l'or au monde!

— Y me semble que ça doit être bon...

— Rhéauna, tu mangerais n'importe quoi!

— Tant qu'à ça...»

C'est ainsi que je pensai pendant toute mon enfance que les Français appelaient les rognons des haricots!

*

Je mis plusieurs jours à lire *L'Auberge de l'Ange-Gardien.* Je passai une bonne partie de la semaine entre Noël et le jour de l'An pelotonné dans un coin de l'énorme sofa du salon, la tête plongée dans la France du Second Empire, étonné par des mots comme *fricot* ou *pies-grièches,* ravi tout de même que les enfants, que j'avais fini par pouvoir supporter, retrouvent leur père, déçu que le chien Capitaine ne tienne pas une plus grande place dans l'histoire... Je trébuchai sérieusement sur le récit du siège de Sébastopol que je finis par abandonner parce que je n'y comprenais rien et que, de toute façon, les batailles ne m'intéressaient pas.

Le père retrouvé, les deux couples mariés, le général Dourakine heureux, les deux enfants casés, aimés, dorlotés, gâtés, bourrés de haricot de mouton aux pommes de terre, je refermai le livre, saoul d'images, de sons, d'odeurs. Et tellement fier d'avoir réussi à lire un livre de *cent quatre-vingt-dix pages* au complet ! Je n'avais pas tout compris, loin de là, mais j'avais saisi l'essentiel et j'avais hâte de retourner à l'école, en janvier, pour me vanter de mon exploit.

Ma mère, ma tante Robertine et ma grand-mère Tremblay mangeaient un reste de tarte aux pommes dans la salle à manger.

Je déposai *L'Auberge de l'Ange-Gardien* sur la table en faisant le plus de bruit possible pour attirer leur attention.

« J'en veux un autre ! »

TINTIN AU CONGO

Hergé

J'ai longtemps résisté à Tintin. Je n'avais quand même pas abandonné les livres pour bébés pour revenir à ces albums illustrés aux couleurs vives où l'image était plus importante que le texte ! Je regardais d'un peu haut les petits garçons installés autour des tables rondes de la salle pour enfants de la Bibliothèque municipale, le nez plongé dans *Tintin en Amérique* ou *Les Sept Boules de cristal*, et je déposais pesamment mon tome deux de *L'Île mystérieuse* ou le dernier Biggles que j'avais dévoré en un samedi après-midi en écoutant, déjà, l'opéra du Metropolitan. Des têtes pivotaient dans ma direction et je détournais la mienne en disant un peu trop fort à la bibliothécaire qui trouvait ma prétention plutôt amusante : « Bon, ben j'espère qu'y vous en reste un ou deux que j'ai pas lus... » Les autres enfants devaient me détester. Avec raison, d'ailleurs, j'étais sûrement très chiant.

*

Quand j'ai eu huit ans, le 25 juin 1950, ma cousine Hélène m'a donné un beau vingt-cinq cents en me disant : « Va t'abonner à la Bibliothèque municipale, j'pense que ça coûte trente sous. » (Pourquoi les Québécois ont-ils toujours appelé une pièce de vingt-cinq cents un *trente sous*? Peut-être bien par pur manque de logique, allez savoir...)

Je suis donc parti, nez au vent, avec ma pièce de monnaie dissimulée dans un nœud fait avec le coin de mon mouchoir. C'était un truc de ma mère dont elle était très fière mais qui s'avérait en pratique peu commode: quand arrivait le temps de payer ma place dans le tramway ou au cinéma, je faisais toujours attendre tout le monde.

Mais ce jour-là j'étais riche — vingt-cinq cents, à cette époque, représentaient quand même cinq cornets de crème glacée ou cinq sacs de chips Maple Leaf, deux patates frites et demie, presque quatre Coffee Crisps! —, c'était ma fête, il faisait beau, j'avais tout l'été devant moi pour me goinfrer de lecture. J'étais souvent allé échanger les livres de ma grand-mère Tremblay en compagnie d'Hélène ou de Jeannine, la fille de ma tante Marguerite, et je leur demandais: «Faut-tu avoir l'âge de grand-moman pour venir chercher des livres ici?» Cette fois, c'était mon tour, je m'y rendais pour moi-même et j'allais pouvoir choisir tous les livres que je voudrais!

La Bibliothèque municipale était très loin de chez nous: pour l'atteindre, il me fallait descendre la rue Fabre de Gilford jusqu'à Rachel et franchir le parc Lafontaine au complet du nord au sud. Et traverser la rue Sherbrooke!

Ma mère, dans son affolement de me laisser traverser cette rue tout seul pour la première fois, m'avait prévenu: «Si tu reviens mort écrasé par une machine, ou ben donc estropié pour le restant de tes jours, j'te parle pus jamais!»

Je connaissais le parc Lafontaine par cœur pour y avoir passé des journées complètes de ma petite enfance avec mes deux frères, Jacques et Bernard, et mes trois cousines, Hélène, Jeannine, Lise, tous beaucoup plus vieux que moi et qui m'avaient traîné là les jours d'été trop chauds où ma mère avait de la difficulté à se mouvoir à cause de son poids. Chacun à son tour ils avaient sacrifié une journée de vacances pour délester ma mère de ma présence: Jacques me lisait mon premier Babar, Bernard me montrait à grimper dans les échelles de bois, Hélène faisait l'actrice qui prenait soin d'un petit pauvre — elle me cachait derrière un arbre, me «découvrait», se jetait sur moi en trouvant que je faisais donc pitié, m'embrassait, m'adoptait... puis recommençait vingt-cinq fois pour parfaire son jeu, tout ça en anglais, évidemment, parce que c'est dans les films américains qu'elle voulait faire carrière —, Lise me faisait faire des trous dans le ciel avec mes pieds en me poussant trop fort dans les balançoires pour bébés, Jeannine me racontait des histoires qui me ravissaient. J'y avais été heureux, j'étais maintenant exalté à l'idée de ce qui m'attendait de l'autre côté: je courais presque dans les allées ombragées ou en traversant le pont de ciment qui séparait les deux lacs, la main refermée sur mon mouchoir au fond de ma poche, le cœur battant, le souffle court.

Arrivé à la rue Sherbrooke, dense, bruyante, affolante après le calme du parc, je suivis le conseil de ma mère: «Tu regardes ben ben longtemps à ta gauche, pis ben

ben longtemps à ta droite, pis quand tu vois pas de machines *ni d'un bord, ni de l'autre* à au moins deux coins de rue, tu traverses en courant. Pas avant ! Si tu fais pas comme j'te dis, le nez va t'allonger comme Pinocchio pis moman va le savoir ! » Je ne pris aucune chance ; maman finissait effectivement par toujours tout savoir et je ne voulais pas finir la journée avec un nez de quatre pieds de long garni d'une nichée d'oiseaux piaillants !

J'hésitai avant d'entrer dans la salle pour enfants, située rue Montcalm, dans la côte Sherbrooke, sous celle des adultes qui était la seule que je connaissais jusque-là. Je regardai par la fenêtre. Presque personne. Trois immenses tables rondes, courtes sur pattes, en noyer massif — j'y suis retourné, l'année dernière, pendant le scandale des planchers qui risquaient de défoncer sous le poids des livres, et j'ai retrouvé les mêmes tables quarante-deux ans plus tard, avec la même odeur de vernis mais brunies par l'usure et le temps, j'ai failli fondre en larmes —, une petite fille avec des tresses, je m'en souviens très bien, penchée sur un énorme album, deux petits garçons qui semblaient s'ennuyer à mourir et pour qui la bibliothèque représentait probablement une punition, la bibliothécaire elle-même, raide et lunettée, désœuvrée parce qu'il faisait trop beau pour que les enfants pensent à se cultiver.

J'étais vraiment trop timide, je n'arriverais jamais à parler à cette femme sévère ! Je finis cependant par descendre la rue Montcalm jusque devant la porte grande ouverte, la franchis, appréciant la fraîcheur de l'atmosphère et le silence après la touffeur et le grondement de la rue Sherbrooke. Voyant mon embarras et devinant probablement un nouveau converti, la femme sourit. Son visage se transforma complètement, il n'était plus du tout sévère, soudain, mais invitant et chaleureux. Un petit pétillement de moquerie, même, devant ce pauvre enfant pétrifié se devinait au fond de ses yeux, un peu comme lorsque ma cousine Jeannine finissait un de ses contes fantastiques qui me terrorisaient tant. Le sourire était engageant mais les yeux pétillaient de malice.

Je m'approchai du comptoir massif derrière lequel elle se tenait et, en me dirigeant vers elle, je perçus l'odeur des livres, la poussière mêlée à l'encre d'imprimerie, la même, si délicieuse, que ceux qu'empruntait ma grand-mère Tremblay. Je regardai plus loin, à la gauche de la dame. Des tonnes de livres, bleus, rouges, bruns, gris, sagement rangés sur des milles de tablettes! En haut, dans la salle des adultes, on ne voyait jamais les livres, il fallait remplir de petits formulaires qu'on remettait aux bibliothécaires qui disparaissent ensuite dans des escaliers dérobés, mais ici... quatre immenses pans de murs de livres m'entouraient, m'écrasaient! Une vie complète de lecture!

« Tu viens t'abonner ? »

Incapable de parler, je fis signe que oui en sortant mon mouchoir que je commençai à dénouer. Je brandis ma pièce de monnaie avant de la déposer avec précaution sur le bois verni.

« Tu peux remettre ça dans ta poche, ça coûte rien. »

Tout ça ne coûtait rien ? Vraiment rien ?

« Remets ça dans ta poche, Michel, avant de l'oublier. »

Michel ? Elle connaissait mon nom ?

« Comment ça se fait que vous savez mon nom ? »

Elle rosit un peu, à peine.

« Ta mère a téléphoné pour voir si t'étais arrivé. Tu t'appelles bien Michel Tremblay ? »

Si j'avais pu rentrer dans le plancher, je l'aurais fait, tellement j'avais honte.

Je me contentai de faire le potte en baissant la tête.

« Chus pas un bebé, pourquoi a'l' a téléphoné ?

— A' pense pas que t'es un bébé, a' voulait juste être sûre que tu t'étais bien rendu... T'es pas mal loin de chez vous, tu comprends... »

Elle sortit un long formulaire qu'elle me tendit en souriant.

« Es-tu capable de remplir ça tout seul ?.

— J'viens de vous dire que chus pas un bebé ! »

*

« Pensais-tu que j'étais pas capable de me rendre jusque-là tu-seul ?

— Ben non...

— Pourquoi t'as téléphoné, d'abord ?

— C'est la première fois que tu vas aussi loin tu-seul...

— C'est ça, tu pensais que j'étais pas capable...

60

— Ben non! Laisse-moi parler!

— Pourquoi t'as appelé, d'abord?

— Michel! Chus ta mère! J'ai le droit de faire c'que je veux dans ma maison! Si je veux téléphoner chez Soucisse quand j't'envoye chercher du lait pis au presbytère quand tu vas te confesser, j'vas le faire! Ça a-tu du bon sens, y va me faire la morale, à c't'heure! Trouves-en, des mères, mon p'tit gars, qui cherchent le numéro de téléphone de la Bibliothèque municipale parce qu'a' sont inquiètes de leur enfant qui est en train de traverser la moitié de l'île de Montréal à pied pour la première fois! Arais-tu aimé mieux que je m'occupe pas de toi pis que j'te laisse partir comme si ça me faisait rien de pus jamais te revoir?

— J'm'en allais juste à la Bibliothèque municipale, moman, j'm'en allais pas au bout du monde!

— À ton âge, c'est pas ben ben loin du bout du monde! Pis j'voulais pas que c'te femme-là te prête n'importe quel livre, aussi! Après toute, on la connaît pas! Que c'est qu'a' t'a prêté, là, montre-moi ça...

— A' m'a rien prêté, c'est moi qui les as choisis!

— A' t'a même pas conseillé?

— Ben non, a' m'a laissé me promener devant les rangées de livres... A' m'a juste dit que j'avais droit à six livres pour deux semaines au lieu de trois parce que c'est les vacances...

— A' te suivait pas, rien?

— Ben non...

— Mais t'arais pu tomber sur des livres qui étaient pas de ton âge!

— C'est la salle pour les enfants, moman...

— Les enfants ont pas toutes le même âge, mon p'tit gars! Montre-moi ça, là, ces livres-là... J'vas la rappeler, c'te femme-là, moi, voir si ça a du bon sens! Est-tu payée juste pour étamper des couvertures de livres? On leur confie nos enfants pis y s'en occupent même pas... La comtesse de Ségur! Encore! Tu pourrais me la réciter par cœur, la comtesse de Ségur, lâche-la un peu! Que c'est que t'as pris d'autre, là, cache pas les autres livres... Six livres! Tu vas t'arracher les yeux, encore! Pis ton vingt-cinq cennes, que c'est que t'en as faite, de ton vingt-cinq cennes?

— Quel vingt-cinq cennes?

— Michel, fais-moi pas perdre mon temps. Hélène t'a donné vingt-cinq cennes...

— C'tait pour ma fête! C'est un cadeau! J'ai le droit de faire c'que je veux avec mon vingt-cinq cennes!

— C'tait pour payer ton abonnement, pis ça coûte rien pour s'abonner!

— Tu y'as demandé ça aussi?

— Oui! Certainement! Pis j'y ai demandé aussi de me rappeler si t'étais pas poli avec elle! Michel! Michel, r'viens ici, là! Hé que j'haïs ça quand y s'en va pis que j'ai pas fini d'y parler! Michel, même si c'est ta fête, viens ici tu-suite, sinon tu vas avoir affaire à moi!»

*

Revenons-en à Tintin.

C'est mon anniversaire, un an plus tard jour pour jour, j'ai donc neuf ans.

Maman, ma tante Robertine et même ma grand-mère Tremblay bardassent dans la cuisine depuis le matin pour préparer mon party d'anniversaire. Ça sent déjà le *pound cake* et les biscuits au gingembre. Ma grand-mère prépare sur un coin de la table son fameux mélange à biscuits à la mélasse pour me faire ses pattes d'ours de Charlevoix dont je raffole tant. Je me dis que je vais quand même essayer de ne pas trop manger pour éviter d'avoir mal au cœur comme à Noël, comme à Pâques... Quand les trois femmes de la maison cuisinent en même temps, tout le monde perd le contrôle dans la famille et les indigestions ne sont pas rares. Si je mange vraiment trop, ma grand-mère dit à ma mère : «Rhéauna, les vaches sont dans le blé d'Inde !» et mon assiette disparaît comme par enchantement, même si je fais une crise.

Il est une heure de l'après-midi et mes petits amis n'arriveront pas avant trois heures. Je suis nerveux, je me promène dans la maison comme un lion en cage, je me fais mettre à la porte de la cuisine aux cinq minutes parce que j'ai toujours l'index planté dans une pâte à tarte ou un mélange à gâteau, j'essaie de lire en me berçant dans la grosse chaise de ma mère, sur le balcon. Rien ne m'intéresse, pas plus la comtesse de Ségur que Jules Verne, ma nouvelle passion, que je viens de découvrir avec *Cinq semaines en ballon*. C'est long, attendre deux heures, c'est long !

Je descends l'escalier, me plante au milieu du trottoir et regarde vers la rue Mont-Royal pour voir si mes amis ne reviennent pas avec mes cadeaux... J'ai vu madame Rouleau, madame Jodoin et madame Guérin partir avec leurs enfants, quelques minutes plus tôt, et je les imagine en train de me choisir des cadeaux mirobolants chez Messier ou chez Woolworth. Enfin, pas mirobolants parce qu'ils ne sont pas riches personne, mais de beaux cadeaux quand même, que je vais prendre un plaisir fou à déballer...

« Veux-tu arrêter de guetter comme ça, y'arriveront pas avant deux heures, tes amis! Si y viennent! »

Elle essuie ses mains poudreuses sur son tablier avant de s'asseoir dans sa chaise berçante pour siroter un coke.

« C'est pas eux autres que je guettais, moman! »

— C'tait qui, d'abord? Le père Nowell? Michel, franchement, prends-moi pas pour une valise! »

Ma tante Robertine sort à son tour de la maison en se tamponnant le front, les joues. Puis elle se passe le tablier sous les bras et ma mère lève les yeux au ciel.

« Pour l'amour du bon Dieu, Bartine, fais ça dans' maison! »

Ma tante ne semble pas l'avoir entendue.

« Y fait chaud que le diable, là-dedans! C't'idée, aussi, de faire des gâteaux en plein mois de juin! »

Maman se tourne vers elle.

« Si la fête du p'tit était en janvier, on pourrait pas venir se rafraîchir sur le balcon en attendant que ça cuise sans attraper une double numonie, ça fait que plains-toi pas ! »

Je me suis assis sur la dernière marche de l'escalier qui mène au balcon et je regarde les fourmis transporter des restants de pissenlits.

« Momaaan... »

Ma mère se penche sur la balustrade, y appuie les coudes.

« Quand y se lamente comme ça, lui, c'est parce qu'y'a quequ'chose à me demander... Que c'est qu'y'a, encore ?

— Sais-tu c'qu'on pourrait faire pour me faire patienter ?

— Écoute ça, Bartine, j'pense qu'on va rire. Que c'est qu'on pourrait faire pour te faire patienter, Michel ? Faire venir le cirque Barnum and Bailey ? Barbra Ann Scott avec le *Hollywood Ice Revue* ? Laurel et Hardy ? Abbott et Costello ?

— Ben non...

— Une chance... »

Je me suis levé, j'ai grimpé quelques marches, je fais mon plus beau sourire, mes plus beaux yeux.

Ma mère secoue un peu la tête.

« Que c'est que tu vas me demander là, toi...

— Ben... J'ai cinq cadeaux, hein ?

— Je le sais-tu, moi, j'les ai pas comptés...

— Moi, j'les ai comptés... Écoute... pour me faire patienter, là...

« — Arrête tu-suite ! J'te vois venir ! Y'en est pas question !

— Juste un, moman !

— J'ai dit qu'y'en était pas question ! J'veux ben croire qu'on t'a gâté mais y'a toujours ben des émites !

— Juste un ! Un p'tit ! Le plus p'tit ! Le moins important !

— Michel, ton party, c'est cet après-midi quand tes amis vont être ici pis c'est là que tu vas ouvrir tes cadeaux, pas avant, un point c'est toute ! »

J'ai déjà les yeux pleins de larmes, la lèvre d'en bas qui frémit.

« Pis fais-moi pas une scène le jour de ta fête ! »

Ma tante Robertine a déposé son coke à côté de sa chaise.

« Vous savez comment c'qu'y'a la tête dure, Nana...

— Toi, commence pas ! J'te vois v'nir, toi aussi !

— On va en avoir pour l'après-midi, y va être épuisé quand ses amis vont arriver...

— Bartine, on n'est pas pour se laisser mener par c't'enfant-là ! Y'est déjà assez pas endurable comme c'est là ! »

Ma grand-mère arrive sur les entrefaites et mon espoir d'ouvrir un cadeau tout de suite monte d'un cran.

« Qu'est-ce qui se passe, donc ? On vous entend crier jusque dans les bécosses, à l'autre bout de la maison !

— Michel veut ouvrir ses cadeaux...

— J'veux ouvrir *un* cadeau !

— Coupe-moi pas en plus ! Moi, j'veux pas, mais Bartine est de son côté...

— Chus pas de son côté, mais si c'est pour nous apporter la paix...

— Vas-tu y donner la lune pour nous apporter la paix si y te la demande ?

— Y me demandera jamais ça...

— On le sait pas ! »

Elles sont maintenant toutes les trois appuyées contre la rambarde de fer forgé et de bois. Cette image restera gravée en moi à jamais : trois silhouettes maculées de farine qui me regardent avec des expressions différentes ; le découragement chez ma mère qui se doute qu'elle ne gagnera pas parce qu'elle m'aime trop et qu'elle ne peut rien me refuser, quelque chose qui ressemble à de la gourmandise chez ma tante Robertine, au moins aussi impatiente que moi de me voir déballer son cadeau, de la compassion chez ma grand-mère Tremblay qui comprend toujours tout.

Ma tante Robertine regarde maman à la dérobée.

« On pourrait le laisser ouvrir mon cadeau à moi, Nana, ça me dérangerait pas... Pis ça l'occuperait pour une partie de l'après-midi, *if you know what I mean...*

— *I know exactly what you mean and I still think it's not a good idea...*

Je fais mon petit sourire dévastateur, celui auquel ma mère n'arrive jamais à résister.

« On a commencé à prendre des cours d'anglais à l'école, vous savez, ça sera pas long que j'vas tout comprendre... »

Les trois femmes se retiennent pour ne pas rire ; j'ai gagné.

Ma mère se redresse, soupire.

« Juste un. »

Je lance un grand cri de joie en grimpant l'escalier.

Maman se tourne vers sa belle-sœur.

« Si seulement t'étais comme ça avec tes propres enfants, Bartine ! »

*

C'est rectangulaire, plat, dur ; un jeu ! C'est vrai que ça va m'occuper en attendant que mes amis arrivent ! Je commence à déchirer le papier d'emballage.

« Michel ! Lis la carte, avant ! »

(Elle veut quand même montrer qu'elle a encore un peu d'autorité sur moi.)

Oui, bon : « Bonne fête, gnan gnan gnan... ta marraine qui t'aime... » Bec mouillé, merci beaucoup, t'es ben fine...

Tiens, c'est pas un jeu, c'est trop mince... On dirait plutôt un album... Ah non !

Tintin au Congo.

Il y a une seconde de flottement dans la salle à manger où la scène se déroule. Je ne peux quand même pas leur lancer l'album à la figure et me retirer dans ma chambre en claquant la porte, *c'est un cadeau de fête et j'ai demandé de l'ouvrir avant les autres* ! Et ma marraine ne pouvait pas savoir que Tintin ne m'intéresse pas !

Ma tante, quand même un peu inquiète de mon manque d'enthousiasme, me demande :

« T'es-tu content ? »

L'acteur reprend vite le dessus et j'arrive à me composer un visage qu'on pourrait interpréter comme « surpris et content ».

« Ah oui ! Aïe ! Ah oui ! Pis j'en ai jamais lu, de Tintin !

— C'tu vrai ? Moi qui avais peur que tu saches déjà çui-là par cœur ! Tu peux le lire tu-suite, hein... Va t'assire sur le balcon, j'vas t'apporter un beau coke...

— Bartine, pas de coke pour lui avant son party... »

Maman se doute de quelque chose, j'en suis convaincu. Elle me regarde comme si elle lisait la déception sur mon visage malgré le numéro que je suis en train de jouer. Elle ne va quand même pas lancer un « Je l'avais dit que c'était pas une bonne idée ! » ou quelque chose du genre... Je produis un grand sourire forcé qui, je crois, fait illusion, je serre mon album contre mon cœur et je me dirige vers le balcon.

Ma tante Robertine est rose d'aise.

« Ça va le garder tranquille jusqu'à son party de fête... »

Maman se dirige vers la cuisine en rattachant une mèche rebelle de ses cheveux avec une Bobby pin.

« C'est ça, rêve ! »

À mon grand étonnement, je ris comme un fou à la lecture de *Tintin au Congo*. C'est la version raciste qu'on ne trouve plus nulle part et dont certaines personnes prétendent même qu'elle n'a jamais existé, mais, à neuf ans, je ne sais pas ce qu'est le racisme et je ris de bon cœur. Les dialogues écrits en petit-nègre me plient en deux: «Y'en a bon, Missié Blanc...», l'homme-léopard me terrorise, la descente de la rivière en canot m'excite, le père blanc, qui ressemble au père Ambroise, m'amuse par sa bonhomie, m'émeut par son dévouement... Aujourd'hui, cet album me ferait frémir, mais le petit garçon qui lit les aventures de Tintin et de Milou, le chien parlant, sur le balcon de l'appartement de la rue Fabre ne connaît ni la Belgique ni le Congo belge, il n'a encore aucune notion du colonialisme, même s'il en est une victime culturelle depuis sa naissance en tant que Québécois, et il dévore sa première bande dessinée sans arrière-pensée, tout heureux de découvrir que Tintin n'est pas si plate que ça, en fin de compte. Et oublie pendant un certain temps qu'un party d'anniversaire se prépare pour lui dans la cuisine et dans les allées des magasins de la rue Mont-Royal.

*

«J'ai fini!»

Trois têtes se tournent vers moi. Ça sent la pâte à gâteau et la sueur dans la cuisine.

«Comment ça, t'as fini?

— Que c'est que t'as fini?

— Ben, mon Tintin!»

Ma mère se redresse en relevant sa mèche rebelle. Son front et ses cheveux sont couverts de farine.

«Michel! Ça fait même pas une demi-heure qu'on t'a donné ce livre-là!

— Ben oui, mais c'est pas long à lire, y'a juste des images pis presque pas de texte!

— Pose pas ton livre sur ma pâte à tarte! Pis retourne tu-suite lire c'te livre-là comme du monde! Tu dois même pas savoir c'que ça conte, tellement tu l'as lu vite! Enfant insignifiant! Pis pense pas qu'on va te laisser ouvrir un autre cadeau, là, c'est pas parce que t'as gagné une fois que tu vas gagner toute la journée! Y'a toujours ben des émites à faire rire de nous autres!

— J'voulais pas ouvrir d'autres cadeaux...

— Michel Tremblay! J'te connais tellement que j'aimerais ça, des fois, t'échanger contre un autre enfant pour avoir des surprises!»

Ma grand-mère a posé une main sur celle de ma mère.

«Chicane-lé pas trop, Nana, c'est sa fête.

— J'commence à penser que c'est sa fête tous les jours, moi! Y'a jamais moyen d'y dire quoi que ce soit qu'y'en a toujours une de vous deux qui vient prendre sa défense! Si y'est pas élevable, c't'enfant-là, c'est parce qu'y'a trop de mères autour de lui!»

Elle me prend par la main, me fait traverser la maison au grand complet, me soulève par le dessous des bras en arrivant sur le balcon et me rassoit brusquement dans la chaise berçante.

« R'lève-toi pas de c'te chaise-là tant que tu l'auras pas lu ! Même pour aller faire pipi ! Viens pas me dire que t'as lu ce livre-là, Michel, c'est pas vrai...

— Oui, c'est vrai...

— Pis réponds-moi pas si tu veux pas que je laisse un message sur la porte pour dire à tes amis de retourner chez eux parce que y'a pas de party de fête !

— J'en veux pas, de party de fête !

— Si tu dis un seul autre mot, t'en auras pas pour vrai de party de fête, m'as-tu compris ? M'as-tu compris ? »

Entre deux sanglots — je ne peux pas m'empêcher de pleurer et ça m'humilie — j'ouvre mon album, je le tends à maman.

« Tu peux vérifier, si tu veux, chus pas menteur ! R'garde, y'a presque rien à lire ! »

Elle prend le livre, le feuillette d'abord brusquement puis s'attarde sur quelques pages.

« 'Gard donc ça, c'est pourtant vrai ! Y'a rien à lire dans c'te maudit livre là ! Y'a quasiment rien que des grosses images ! R'garde, ici, une image qui prend toute la page ! Pis c'est plein de nègres tout nus ! Quelle sorte de livre qu'a' t'a acheté là, donc, elle ! Ma grand-foi du bon Dieu, est folle, c'te femme-là ! »

Elle est déjà partie, l'album sous le bras.

« Bartine ! Bartine ! Où c'est que t'as acheté ça, c'te livre-là, veux-tu ben me dire ? Ça se promène tout nu à pleines pages, là-dedans ! »

Ma mère n'est habituellement pas du tout scrupuleuse et je suis étonné de sa réaction. J'entends les bribes d'une discussion, maman parle fort, ma tante Robertine se mouche, ma grand-mère, comme toujours, joue les conciliateurs.

Je suis convaincu que mon party de fête est à l'eau et je pleure de plus belle en me berçant dans la grosse chaise de bois.

Quand je cesse de me frotter les yeux, ma grand-mère Tremblay est à côté de moi. Dans la maison, la paix est revenue ou, du moins, on ne crie plus.

« Fais-toi-s'en pas, cher tit-gars, sont narveuses parce que ton party les énarve, mais ça va ben aller... Y criaient, comme ça, pas parce que sont fâchées, y criaient parce que y'ont peur de pas arriver à temps, que le party soit pas réussi, que le gâteau soit plate comme une galette, que les biscuits soient brûlés... Tu vas voir, ça va t'être réussi pis tout le monde va t'être content...

— J'haïs ça, quand ça crie comme ça...

— Ben oui, mais tu sais ben que c'est toujours de même... pis que ça dure jamais longtemps.

— Pis mon Tintin ?

— Le v'là, ton Tintin. L'as-tu vraiment toute lu ?

— Ben oui...

— Veux-tu m'en lire des boutes ? »

Une grand-mère intéressée par Tintin? Attendez que je répète ça à mes amis, tout à l'heure!

«Okay!

— Donne ta place à grand-moman, cher. Mais c'est toé qui lis, là, hein, c'est pas comme quand t'étais petit. Là, c'est toé qui lis, pis c'est moé qui écoute!»

Je m'installe entre ses genoux parce que je suis trop pesant pour m'asseoir sur elle depuis déjà un bon moment, j'ouvre *Tintin au Congo*. Ça sent beaucoup l'eau de Floride et j'ai un court moment d'étourdissement.

Qui n'a jamais lu une histoire à sa grand-mère le jour de ses neuf ans ne connaît rien du bonheur!

LES ENFANTS DU CAPITAINE GRANT

Jules Verne

Durant mon adolescence, toutes les connaissances que j'avais acquises sur l'histoire naturelle, la géographie ou la physique me venaient plus de ma lecture des romans de Jules Verne que des ennuyants cours qu'on nous donnait à l'école. Les frères enseignants étaient pleins de bonne volonté, certains d'entre eux essayaient même de rendre leurs cours les plus vivants possible, mais ils ne pouvaient jamais rivaliser avec la prose de l'auteur favori de mes douze ans, ces envolées qui nous projetaient littéralement dans le ciel en même temps qu'elles nous expliquaient comment le faire, ou qui nous plongeaient dans le cœur des océans en nous décrivant chaque poisson que nous croisions...

J'ai compris assez tôt que j'aimais apprendre les choses à travers des récits qu'on me racontait dans des romans plutôt que dans des livres de physique ou d'histoire ; encore aujourd'hui, je préfère les romans historiques aux biographies dites sérieuses, et j'ai l'impression d'en apprendre plus au sujet de Néron ou de Jeanne d'Arc dans un roman de Hubert Montheillet, qui nous décrit dans les moindres détails ce qu'ils portaient, ce qu'ils mangeaient et ce qu'ils vivaient, que dans n'importe quelle savante étude qui se contente d'analyser les faits sans faire revivre les personnages. J'ai besoin de l'épaisseur humaine et de l'atmosphère ambiante pour bien comprendre le passé. J'ai besoin que les descriptions fassent partie d'une histoire pour bien saisir les lois de la physique. Ou la vie des animaux. Et, je dois l'avouer, je préfère un beau gros mensonge inventé par un bon conteur comme Alexandre Dumas père aux faits réels platement relatés par un savant historien trop objectif. Je me fous de savoir si Louis XIV a eu un jumeau ou non parce que j'ai eu l'impression d'avoir vraiment vécu à la cour du jeune Roi-Soleil en lisant *Le Vicomte de Bragelonne*; ça m'énerve qu'on me dise que le Nautilus serait aplati comme une galette par trente brasses de fond si on le construisait exactement comme Jules Verne l'a décrit — ses calculs, semble-t-il, étaient erronés — parce que j'ai eu l'impression d'y monter, de voyager dans le fond des mers pendant plus de quatre cents pages et que c'est ça qui compte pour moi !

Je lisais *toutes* les descriptions de Jules Verne sans jamais en sauter une; j'en aimais le style simple et précis — on a assez dit de lui qu'il était un grand vulgarisateur — autant que le contenu éducatif: j'ai appris les courants marins et la vie dans les profondeurs océanes dans *Vingt mille lieues sous les mers*, les courants aériens dans *Cinq semaines en ballon*, la grande steppe dans *Michel Strogoff*, la pampa argentine et l'arrière-pays australien dans *Les Enfants du capitaine Grant*, le décalage horaire dans *Le Tour du monde en 80 jours*, la guerre de Sécession dans *Nord contre Sud*, l'épaisseur de la couche terrestre et sa composition dans *Voyage au centre de la terre*... J'ai été ébloui par la construction de l'énorme canon qui allait propulser sur la lune un boulet habité par des humains (*De la terre à la lune*), intrigué par l'invention de l'ancêtre du cinéma (*Le Château des Carpates*), étonné par la découverte, à la fin de *L'Étoile du Sud*, du diamant rendu rose par son séjour dans le gésier d'une autruche !

Jules Verne ne pouvait pas utiliser un terme technique ni un mot étranger sans nous les expliquer longuement, et je lui en suis reconnaissant parce qu'il m'a appris la patience et la curiosité. Il m'a même montré à me servir intelligemment de mon dictionnaire quand ses explications, pourtant détaillées, ne suffisaient pas. Grâce à lui, j'ai découvert le plaisir d'errer à travers le dictionnaire pendant des heures en finissant par oublier pourquoi je l'avais d'abord ouvert...

Mes professeurs étaient souvent étonnés par mes connaissances générales en physique, en géographie ou en histoire naturelle, mais ils comprenaient tout quand je brandissais *Robur-le-Conquérant* ou *Les Tribulations d'un Chinois en Chine*. Malheureusement, ils me citaient en exemple et ça ne me rendait pas très populaire à l'école Saint-Pierre-Claver.

*

Le premier personnage de roman auquel je me sois totalement identifié, au point même de m'en rendre malade, fut Robert Grant, le jeune héros des *Enfants du capitaine Grant*. Ce livre fut l'un des plus importants de la fin de mon enfance, et je garde un souvenir très précis de tout ce qui entoura sa lecture.

Robert Grant avait le même âge que moi, douze ans, mais son destin était tellement plus passionnant que le mien qu'au bout de quelques pages de lecture, je ne savais plus si je l'aimais ou si je le détestais par pure jalousie.

Son père, un marin écossais au long cours, avait fait naufrage deux ans plus tôt — on était en 1864 — quelque part sur le 37e parallèle, était tombé prisonnier aux mains d'indigènes quelconques mais avait quand même réussi à lancer un message à la mer dans une bouteille. Lord Glenarvan, un autre marin écossais, avait trouvé le message tout mouillé, donc tout brouillé, dans le ventre d'une baleine ; Robert Grant, le chanceux, partait à la recherche de son père autour du monde dans un bateau, le *Duncan,* en compagnie du lord et de sa jeune femme, de sa propre sœur à lui, la belle Mary, et d'un géographe français, Paganel, qui s'était trompé de bateau. Ce n'était pas une existence, ça, pour un enfant de douze ans ?

J'avais emprunté les trois volumes des *Enfants du capitaine Grant* à la Bibliothèque municipale et je dormais avec, celui que je lisais posé contre ma tête pour pouvoir le humer même en dormant, les deux autres disposés n'importe où sur la couverture, sujets à voyager durant la nuit selon les mouvements de mon corps, présences réconfortantes entre mes cuisses, sur mes pieds ou au creux de mes reins. Je dors encore en compagnie des livres que je lis, je les pose rarement sur ma table de chevet, mais aucun depuis *Les Enfants du capitaine Grant*, je crois, n'a autant habité mes nuits.

Je lisais les aventures de Robert Grant le plus tard possible, jusqu'à ce que ma mère menace de retirer l'ampoule de ma lampe de chevet, en fait, puis je rêvais une partie de la nuit de la traversée de l'Atlantique, du détroit de Magellan, des paysages chiliens, de la Cordillère des Andes... Mon lit était un bateau qui quittait volontiers ma chambre de la rue Cartier pour foncer vers le 37e parallèle à la recherche de la source du Gulf Stream.

Je devenais un marin accompli en même temps que Robert Grant, j'apprenais à monter un magnifique cheval argentin à la robe noire en compagnie de Thalcave, le beau Patagon à moitié nu dont le portrait me troublait tant à la page 95, je traversais à gué le rio de Raque et le rio de Tubal, je grimpais des murs de porphyre — les *quebradas* —, je cherchais en vain mon père au creux des forêts de séquoias ou sur le pic des montagnes enneigées. On disait de Robert Grant qu'il grandissait et se développait rapidement, qu'il devenait un homme ; moi, je lisais au milieu des miettes de gâteaux ou de biscuits au gingembre et je restais désespérément l'enfant envieux qui n'avait pas de destin grandiose.

Un épisode en particulier m'empêcha de dormir toute une nuit, je fis de la fièvre et me retrouvai incapable de me lever pour me rendre à l'école le lendemain matin, au grand dam de ma mère qui se doutait que *Les Enfants du capitaine Grant* était la cause de toute cette nervosité mal canalisée. Mais cet incident fut en même temps le point de départ d'une des plus belles aventures de ma vie...

Vers le milieu de la première partie du roman, les hommes de l'expédition décident de traverser à pied le Chili puis l'Argentine, toujours à la recherche du capitaine Grant, pendant que les femmes, à bord du

Duncan, repasseront le détroit de Magellan pour aller les attendre du côté de l'Atlantique. J'avais du chagrin de quitter Mary Grant et Lady Glenarvan, mais j'étais aussi très excité à la perspective de traverser l'Amérique du Sud à pied !

J'étais littéralement subjugué par les paysages montagneux que rencontraient Robert Grant et ses amis, moi qui ne connaissais que le mont Royal, petite butte insignifiante, endroit de plaisance pour les Montréalais endimanchés, que j'apercevais de mon balcon, au bout de la rue Mont-Royal. Mais la Cordillère des Andes ! Les glaciers, les torrents de plusieurs centaines de mètres de hauteur (dans mon Larousse imprimé au Canada, on me disait qu'un mètre mesurait trois pieds trois pouces), les plateaux pierreux suspendus au-dessus du vide, les orages de vent et les orages de pluie qui s'abattaient sans prévenir et cessaient si brusquement qu'on se demandait s'ils avaient eu lieu, les levers de soleil roses, les couchers de soleil orangés ! La nourriture, qui consistait en viande séchée, en graminées de toutes sortes assaisonnées de piments, de gibier fraîchement tué, d'eau des torrents dans la montagne, des ruisseaux dans les plaines, me faisait saliver et me changeait un peu des éternelles patates pilées et des incontournables petits pois numéro 1 ! Comment pourrais-je jamais remanger du pâté chinois après tout ça ?

Puis j'arrivai au chapitre qui me fit littéralement léviter. À douze mille pieds dans les airs, nos amis avaient décidé de passer la nuit sur un plateau glacé surplombant l'immense vallée qu'ils allaient commencer à traverser les jours suivants pour atteindre la pampa argentine. La nuit se passe bien, tout le monde dort, épuisé mais content. Au petit matin, cependant, un fracas épouvantable les réveille et, pour citer les mots mêmes de Jules Verne :

> « Par suite d'un phénomène particulier aux Cordillères, un massif, large de plusieurs milles, se déplaçait tout entier et glissait vers la plaine. "Un tremblement de terre !" s'écria Paganel. »

Le plateau sur lequel ils s'étaient réfugiés dévalait la montagne ! J'étais avec eux, je tombais avec eux, les pics enneigés tournoyaient autour de moi, les montagnes elles-mêmes changeaient de forme, le ciel, qui commençait à peine à blanchir, tanguait comme lorsque j'avais traversé le détroit de Magellan à bord du *Duncan,* ma tente s'enroulait autour de mes jambes, des armes, du bois de chauffage, la batterie de cuisine, *les braises du feu mal éteint* me dépassaient en me frôlant, je chevauchais une colossale montagne russe qui me précipitait sans merci vers le fond de la vallée, je courais à la mort, j'étais presque déjà mort au creux de mon lit, yeux grands ouverts, cœur affolé, éclaté dans ma poitrine.

Le pire, c'est qu'au début du chapitre suivant, le tremblement de terre calmé, les hommes se remettant lentement de leur frayeur, *Robert Grant avait disparu !* Affolement au Chili et dans le lit dévasté de la rue Cartier. Les hommes cherchaient l'enfant en vain pendant trois jours et moi je ne vivais plus : Robert Grant ne pouvait pas mourir, *je ne pouvais pas mourir,* l'histoire ne pouvait pas se dérouler sans moi, il restait trois cents pages, j'étais le héros, c'est moi qui avais perdu mon père et qui étais parti d'Écosse pour traverser le monde à sa recherche, c'est moi qui devenais un homme au milieu des Patagons et des marins au long cours, Jules Verne, mon auteur favori de tous les pays et de toutes les époques, n'avait pas le droit de me laisser tomber comme ça !

Puis vint la délivrance à travers une des images les plus fortes de mon enfance, une image que je caresse encore, quarante ans plus tard, quand par hasard je suis frappé d'insomnie, parce que je sais qu'elle m'aidera à m'endormir quel que soit le problème qui me tient réveillé : au bout de trois jours passés dans l'angoisse à l'idée de ne jamais retrouver l'enfant perdu, Lord Glenarvan apercevait un point dans le ciel, très loin à l'horizon... le point grandissait... et un énorme condor des Andes s'approchait en tenant Robert Grant dans ses serres ! L'illustration montrait l'adolescent suspendu par les vêtements dans le même abandon que le Christ de *la Pietà* de Michel-Ange. J'avais été transporté pendant trois jours par un condor ! Sous l'émotion, je fermai brusquement le livre que je me mis à bercer. J'essayai de revivre ces trois jours, de revoir, suspendu dans les airs, la Cordillère des Andes glisser sous moi, le nid caché sur une aiguille de granit, la faim, la soif, mais aussi l'exaltation de se savoir traité pendant trois jours comme le fils du grand condor !

On abattait l'oiseau, Robert Grant reprenait connaissance, mais moi je restais suspendu aux serres du condor par les habits déchirés ; je ne voulais plus redescendre, je voulais rester là, sur le toit du monde, au moins jusqu'au lendemain, et j'ai éteint ma lampe de chevet en espérant rêver de grand vent et d'immenses ailes soyeuses.

Mes parents furent très inquiets. Je faisais de la fièvre, mais je n'avais aucun symptôme de grippe ou même de simple rhume. Au bout de quelques jours, maman essaya de confisquer *Les Enfants du capitaine Grant,* mais ma crise empira et elle me remit les trois volumes jaunis et poussiéreux en soupirant comme une martyre.

Mais une conversation que nous eûmes quand je commençai à me remettre allait changer beaucoup de choses.

C'était un midi, maman venait de m'apporter une soupe au poulet dans un grand bol, accompagnée de biscuits soda que j'aimais faire ramollir dans le bouillon avant de les manger.

« Chus ben contente que t'aimes lire, Michel, mais si c'est la lecture qui te rend malade comme ça, j'vas t'acheter un bâton de hockey pis tu vas aller te faire des muscles !

— Si tu savais comme c'est beau, moman !

— Au point de te rendre malade ?

— Chus pas malade... j'rêve.

— Des rêves qui donnent la fièvre, Michel, ça peut pas être beau !

— Lis-lé, tu vas voir ! »

Elle avait pris le livre, l'avait feuilleté en soupirant.

« J'ai pas le temps. C'est trop gros. Pis c'est pour les enfants de ton âge, pas pour les vieilles femmes comme moi...

— T'es pas si vieille...

— Pauvre toi... J'ai cinquante-trois ans!

— C'est vrai... t'es pas mal vieille.

— Attention de pas renverser ta soupe, là... J'viens de te poser des draps propres, j'ai pas envie de recommencer. Conte-moi-lé, le livre, que je sache un peu ce qui se passe dans ta p'tite tête... »

Ce ne fut pas tant le récit que je lui fis des *Enfants du capitaine Grant* qui la troubla, je crois, mais plutôt la conclusion que j'en tirais :

« Qu'est-ce que j'ai, moé, à côté de Robert Grant, veux-tu ben me dire ? Y'a mon âge, y'est en train de faire le tour du monde à la recherche de son père qui est un aventurier, pis moé chus couché dans mon lit parce que chus jaloux de lui !

— C't'un livre, Michel, c'est juste une histoire inventée, tu peux pas être jaloux d'une histoire inventée !

— Je le sais que c'est juste une histoire inventée, chus pas niaiseux ! Mais... Mais chus sûr qu'y'en a, des petits gars, qui ont un père comme celui-là ! J'aimerais ça, moi aussi, que mon père soit un aventurier ! Pis être obligé de voyager partout à travers le monde pour le retrouver ! Popa, y'est ben fin, mais c'est un imprimeur, pis y'imprime ! C'est tout ce qu'y sait faire ! Y'arrive le vendredi soir avec des calendriers du Sacré-Cœur ou ben donc une annonce de savon *Cashmere Bouquet*, pis y voudrait qu'on se pâme sur son travail ! Ça m'intéresse pas, moé, les calendriers du Sacré-Cœur ! Même si y sont ben imprimés ! Pis y'a même pas été à la guerre comme les autres parce qu'y'était sourd !

— J'te défends de parler de même de ton père ! Au moins, y'est là ! Y'en a, des pères qui sont pas revenus de la guerre ! Tu serais pas mieux, hein, si y'était allé à la guerre pis qu'y'était pas revenu ? Pis si c'était un aventurier, y serait jamais là, pis tu trouverais le moyen de te plaindre pareil !

— Si y'était pas là, j'pourrais... je sais pas, j'pourrais imaginer comment y peut être, oùsqu'y peut être, rêver qu'y revienne, pis l'attendre, si j'avais pas les moyens de courir après lui... Pis quand y reviendrait, laisse-moi te dire que c'est pas des calendriers qu'y'aurait à me montrer ! »

J'étais au bord des larmes. Ma mère prit les trois volumes de Jules Verne, les empila sur ses genoux, posa l'assiette de soupe vide dessus.

« Si c'est ce genre d'idées-là que Jules Verne te met dans la tête, mon p'tit gars, tu vas revenir à la comtesse de Ségur ça sera pas long !

— Moman, ça fait deux fois que tu me le confisques, là ! Tu peux pas m'empêcher de finir ce livre-là ! Tu me dis toujours toé-même qu'y faut finir les livres qu'on commence !

— Pas ceux qui nous mettent des idées de fou dans' tête ! »

Elle releva la couverture, me passa la main dans les cheveux trempés.

« En tout cas, c'est fini, la lecture, tant que tu seras pas complètement guéri. Délirer comme ça à cause d'un livre, voir si ça a du bon sens ! T'es chanceux d'avoir le père que t'as, j'espère que tu vas t'en rendre compte un jour ! Pis j'veux pas entendre un mot, tu m'entends ? C'est pas une punition que j'te donne, c'est un service que j'te rends ! Repose-toi, t'en as besoin. »

J'en étais au troisième volume, le plus palpitant, et je ne pouvais tout simplement pas imaginer ne jamais savoir la fin des *Enfants du capitaine Grant*. Je me doutais bien que Robert Grant retrouverait son père, mais où ? Et comment ? Je le dis à ma mère, en geignant un peu pour faire pitié ; elle se contenta de replacer son tablier avant de me répondre :

« Tu demanderas à Jacques qu'y te la conte, la fin. Y'a sûrement lu ça, lui, quand y'était p'tit, y'a tout lu. Pis ça l'a pas rendu fou. Y'avait une tête sur les épaules, lui, quand y'avait douze ans, y'était pas comme d'autres... »

Vers la fin de l'après-midi, après une sieste sans rêve qui m'avait beaucoup ragaillardi, je trouvai les trois volumes des *Enfants du capitaine Grant* posés sur la couverture à côté de moi. Et un petit mot, écrit en lettres carrées. Ma mère n'était pas allée à l'école très longtemps et n'écrivait pas souvent.

« Je suppose que la fin peut pas te rendre plus fou que t'es là. Et puis tu demanderas à ton grand aventurier Robert Grant si il a de la belle soupe au poulet chaude à manger quand il fait de la fièvre ! »

*

Mes parents durent discuter de tout ça en cachette, parce que le samedi matin suivant, tout de suite après «les crêpes de la fin de semaine», celles, épaisses, molles et baveuses, que ma mère faisait le samedi ou le dimanche parce que mon père les adorait, mais qui nous donnaient à tous un peu mal au cœur parce que nous en mangions trop, papa me prit par l'épaule et me traîna sur la rue Mont-Royal sans rien me dire.

J'ai déjà utilisé l'anecdote qui suit dans *Les Anciennes Odeurs,* une pièce de 1981. Ceux qui connaissent cette pièce, en apprenant son origine, me pardonneront peut-être de la répéter ici...

Quand un enfant réalise que ses parents ne sont pas parfaits, que sa mère n'est pas la plus belle ou la plus jeune, que son père n'est pas un héros, le choc est toujours grand, l'adaptation difficile. Pendant son enfance, on admire et on déteste tout à la fois ses parents qui semblent savoir tant de choses alors qu'on ne sait rien et qui représentent la plus haute forme d'autorité alors qu'on n'en a aucune ; à l'adolescence, cependant, après la révélation que nos idoles ont des pieds d'argile, on essaie de ne pas les mépriser, tout en continuant à les aimer parce qu'on a enfin appris à les aimer intelligemment, mais c'est difficile, notre sens critique est en train de se développer et ils en sont les premières victimes. Je pourrais dire que j'en étais au début de cette deuxième phase au moment où je parcourais la rue Mont-Royal en compagnie de mon père, en cet avant-midi de l'année 1954 : à cause de la lecture d'un livre, je glissais volontiers et assez rapidement vers le mépris.

Je regardais papa de profil : toujours droit mais la bedaine déjà bien installée et les cheveux qui commençaient à sérieusement caler ; toujours alerte, mais un essoufflement de plus en plus visible quand il montait trop rapidement un escalier et un tic à la main droite parce qu'un nerf, juste au milieu de la paume, s'était coincé. Le médecin lui avait dit que s'il ne se faisait pas opérer, sa main finirait par se refermer complètement, que viendrait peut-être un jour où il ne pourrait plus s'en servir du tout. Mais il n'avait pas d'argent pour se faire opérer. C'était un homme bon que j'avais toujours adoré, avec qui il m'arrivait, comme je l'ai raconté dans *Douze Coups de théâtre,* d'avoir un fun vert; il avait un cœur en or et se révélait un mari et un père aimant quoique parfois distant à cause de sa surdité, mais ce jour-là il avait à mes yeux le grave défaut *de ne pas être le capitaine Grant.* Il saluait les hommes de la main et soulevait son chapeau au passage des dames. Ces gestes de pure civilité que je lui avais toujours vus faire commençaient à me tomber sur les nerfs, probablement parce qu'à douze ans on veut passer inaperçu. Il avait pris ses gants beurre frais, ceux des grands jours, qu'il portait d'une drôle de façon: il n'en mettait qu'un, le gauche, et gardait l'autre bien plié dans sa main pour pouvoir serrer la patte des gens importants qu'il risquait de croiser, prétendait-il. Autre occasion pour mon mépris naissant de se manifester de façon particulièrement méchante: mon père n'avait sûrement jamais rencontré qui que ce soit d'important de toute sa vie! À mon avis, il avait gaspillé en vain des générations de gants de la main droite dont le cuir avait noirci en pure perte.

Nous marchions sur Mont-Royal en direction de l'est, ce qui était plutôt rare, les boutiques intéressantes et les magasins les plus fréquentés étant situés à l'ouest de Papineau.

Mais une curiosité venait d'ouvrir, au coin de Bordeaux et Mont-Royal, et je compris avec étonnement que c'est là que nous nous dirigions. Juste à côté du couvent Mont-Royal, où, le dimanche soir, je regardais défiler les limousines outremontoises ou westmontaises qui déversaient des flopées de jeunes filles snobs et chic revenant d'un week-end doré, la toute nouvelle chaîne d'épicerie Steinberg venait d'inaugurer le magasin le plus moderne, le plus propre, le plus climatisé, le plus coloré et le mieux garni en produits alimentaires de tout le Plateau Mont-Royal. Toutes les ménagères du coin s'y étaient précipitées pour profiter des aubaines d'ouverture et goûter, avec des petits cris d'appréciation, des bouts de saucisse, des pépites de fromage, des olives farcies ou des plaquettes de pâté posés sur des biscuits Ritz coupés en deux. Elles avaient l'impression de s'être bourrées aux frais de monsieur Steinberg et achetaient plus, pour le remercier de les avoir nourries autant que pour l'encourager dans sa nouvelle entreprise.

La compagnie Steinberg était très jeune, je crois, en 1954, et nous n'avions jamais vu autant de nourriture dans un même endroit. Les épiciers du coin se plaignaient, hurlaient au scandale devant les prix coupés, mais les ménagères faisaient la sourde oreille et venaient glaner pendant des heures dans le domaine enchanté de leur nouveau bienfaiteur, monsieur Steinberg, qui leur vendait tout, et même plus, à moins cher et, en plus, dans un beau magasin moderne et climatisé.

Mon père n'avait pas encore mis les pieds chez Steinberg, et je me demandais bien pourquoi il m'y amenait avec lui un samedi matin, lui qui détestait par-dessus tout faire le marché.

Un brouhaha de paniers de métal roulant sur le terrazo, de conversations entre voisines échangées à tue-tête parce que le volume de la Muzac était mal contrôlé, d'annonces d'aubaines faites au micro par des voix qui ne connaissaient pas encore tout à fait leur nouveau médium, de caisses flambant neuves qui claironnaient de façon péremptoire la moindre petite vente, bref, une cacophonie de bâtiment neuf qui n'a pas encore trouvé sa vitesse de croisière, pour parler comme Jules Verne, nous frappa de plein fouet dès les portes mécaniques ouvertes devant nous (mon père, comme toute personne qui se présentait là pour la première fois, avait levé le bras pour pousser les portes, mais celles-ci s'étaient ouvertes toutes seules devant nous et il avait regardé autour de lui pour vérifier que personne ne l'avait vu, surtout moi), mais je savais que papa n'entendait rien de tout ça et je le laissai me guider dans les allées surchargées de victuailles de toutes sortes et de produits pour la maison dont la plupart nous étaient encore inconnus.

Le plus étonnant était qu'il semblait très bien savoir où il allait! Il se dirigea tout droit vers les conserves, chercha les soupes en boîte, s'arrêta, se pencha pour être à ma hauteur, me prit par l'épaule. Il sentait le *Lotus* d'Yardley que je lui avais donné à la fête des pères, et je décidai de changer de sorte d'eau de Cologne dès l'année suivante.

Il s'éclaircit un peu la voix avant de commencer.

«Tu vois les boîtes de soupe Campbell?

— Ben oui...

— Ben écoute ben ça... Les soupes Campbell sont toutes de la même couleur, hein, le rouge est pareil sur toutes les boîtes...

— Ben oui...

— Ben c'est à cause de moé.

— Comment ça, c't'à cause de toé?

— Ben, tu vois, quand y'impriment les étiquettes qui vont autour des boîtes, y faut qu'y soyent sûrs que le rouge soit toujours le même...

— Ben oui...

— Ben, y'a un secret... Écoute ben... Pour que toutes les étiquettes soyent du même rouge, y'a une recette secrète pour le rouge Campbell... un mélange d'encre d'imprimerie ben ben secret... Dans chaque ville d'Amérique du Nord oùsqu'y'impriment les étiquettes Campbell, y'a *un* pressier dans *une* imprimerie qui a ce secret-là... pis icitte, à Montréal, c'est ton père! J'ai la recette du rouge Campbell icitte, dans ma tête, depuis des années, pis y faut *jamais* que j'me trompe, parce que si j'me trompais, y'aurait des étiquettes moins rouges, plus roses, trop pâles, trop foncées... pis ça serait de ma faute! Vois-tu ça d'ici, des tablettes de soupes Campbell avec des étiquettes de toutes sortes de rouges différents? Mais y savent qu'y peuvent avoir confiance en moé, pis jamais, à Montréal, entends-tu, y va y avoir une seule boîte de soupe Campbell qui sera pas du même rouge que les autres!»

Il se releva en se raclant la gorge parce qu'il s'était un peu laissé aller à l'émotion en parlant.

« J'ai peut-être pas faite le tour du monde, Michel, mais j'ai une très grande responsabilité, icitte à Montréal, pis *jamais* je manquerai à mon devoir ! »

Il s'éloigna, fier comme Artaban, la tête dans les néons neufs, le gant beurre frais bien plié dans sa main gauche.

Je le rejoignis en courant et le pris par la main, moi qui refusais depuis quelques années que quiconque me tienne la main en public.

Le capitaine Grant pouvait aller se rhabiller !

*

Ce même après-midi, mon ami Réal Bastien, avec qui je passais la plus grande partie de mes temps libres quand je ne lisais pas, m'avait suivi chez Steinberg en protestant un peu.

« J'y ai été avec ma mère, à matin, j'ai pas envie pantoute d'y retourner !

— Viens, j'te dis, j'ai quequ'chose à te montrer, ça vaut la peine ! »

Je l'avais poussé devant les rangées de centaines de boîtes de soupe Campbell et j'avais crié pour que tout le monde m'entende bien :

« R'garde ! Mon père a inventé le rouge Campbell ! »

*

Papa m'avait-il menti? Avait-il inventé cette histoire devant le mépris que je commençais à lui témoigner ou, tout simplement, pour faire cesser cette crise provoquée par la lecture des *Enfants du capitaine Grant*? Je n'ai jamais voulu le savoir. J'ai choisi de le croire et je le crois encore.

Le téléphone est à côté de moi. Je pourrais appeler un de mes deux frères, lui demander si notre père a jamais seulement imprimé une seule étiquette de boîte de soupe Campbell, mais qu'est-ce que ça me donnerait? S'il me confirmait cette histoire, je me sentirais coupable d'avoir douté de la parole de papa; s'il l'infirmait, je ne m'en remettrais jamais...

BLANCHE-NEIGE ET LES SEPT NAINS

Les frères Grimm

Je crois bien avoir consulté toutes les versions de *Blanche-Neige et les sept nains* avant d'atteindre l'âge de dix ans.

On oublie trop souvent que l'originale, celle des frères Grimm, est beaucoup plus terrifiante pour un enfant que, disons, celle du film de Walt Disney où tout est joli et en rondeurs innocentes. On me dira que sa méchante sorcière est laide à faire peur, mais elle semble prendre plaisir à être laide, comme si elle ne se prenait pas au sérieux, tandis que celle des frères Grimm est *vraiment* laide et *vraiment* méchante ! En Américain bon enfant, l'oncle Walt a misé sur le folklore germanique à outrance en faisant des nains une bande de joyeux drilles qui yoodlent à gorge déployée en s'accompagnant à l'accordéon ou à l'orgue à pédales quand, le soir venu, ils rentrent de leur mine de diamants déjà taillés pour finir la journée dans leur joli chalet suisse à toit cathédrale. Presque toutes les autres versions sont moins inoffensives, plus menaçantes, avec, quand on y pense bien, une connotation sexuelle très pernicieuse. Une femme, sept hommes, et les partys qui se donnent dans cette maison-là !

Et que dire de la méchante sorcière, revenons-y, dont on se débarrasse d'une façon plutôt commode dans le film en la projetant du haut d'une montagne mais qui, chez les frères Grimm, est condamnée à danser jusqu'à ce que mort s'ensuive dans des souliers de métal *chauffés à blanc*! Un esprit de sept ou huit ans le moindrement imaginatif en reste marqué pour longtemps, croyez-moi!

Mais ce n'est pas pour ces raisons que je dévorais toutes les versions que je pouvais trouver de ce conte. C'était à cause de la fin qui me vexait, littéralement. Les livres avaient beau différer sur certains aspects du déroulement de l'histoire, la fin restait désespérément la même: à peine les nains s'étaient-ils habitués à la présence de Blanche-Neige dans leur maison pourtant conçue pour de petites personnes, à l'importance que la princesse prenait dans leur vie (elle devenait rapidement une servante à leur service malgré son éducation de privilégiée, évidemment, les nourrissait, les torchait, s'occupait de leurs loisirs le soir venu, mais la misogynie des contes de fées n'est pas le propos de ce texte), que la méchante sorcière se présentait avec sa maudite pomme et, Blanche-Neige assommée, le grand insignifiant de Prince Charmant arrivait pour l'embrasser à peu près sur la bouche, comme on embrasse une matante qui a de la barbe. Éveil de la princesse, pâmoison devant le damoiseau, ils se marièrent et eurent beaucoup d'enfants, fin de l'histoire.

Et les pauvres nains, eux?

Quand je sortais une autre version de *Blanche-Neige* de la salle pour enfants de la Bibliothèque municipale, la bibliothécaire, que j'avais fini par adorer parce qu'elle me laissait sortir plus de livres que le nombre auquel j'avais droit, fronçait les sourcils.

«Encore ça! T'es pas tanné de toujours lire la même histoire?

— J'ai pas lu cette version-là...

— 'Coudonc, rêves-tu que le prince arrive pas pis que Blanche-Neige sèche dans son cercueil de verre comme une vieille pomme pourrie ? »

Je n'allais tout de même pas lui avouer que je rêvais plutôt que la rescapée et le grand insignifiant emmènent les nains avec eux en voyage de noces, alors je me taisais. Mais chaque version du conte, illustrée ou non, longue ou courte, en petit format ou en grand album, finissait de la même façon, et je restais songeur, déçu, enroulé comme un chat dans ma cabane de coussins.

Notre sofa du salon, une vieille affaire qui avait été en velours coupé et rouge vin dans des jours meilleurs mais qui avait fini par ressembler à un gigantesque animal battu couché sur le côté, était mon refuge pour la lecture. J'avais pris l'habitude de me construire avec trois des coussins (deux pour les murs, un pour le toit) un abri dans lequel je me sentais en sécurité même quand je lisais ces histoires terrifiantes que j'avais déjà commencé à aimer et qui hanteraient mes nuits jusqu'à la fin de mon adolescence. J'appelais ça *ma caverne magique*, j'y passais des heures à rêvasser, à lire ou à écouter les radio-romans, *Grande Sœur, Jeunesse dorée* ou *Francine Louvain*, quand par chance j'attrapais la grippe au beau milieu de l'hiver.

Pour en revenir aux nains, toutes les versions du conte les laissaient donc sur le pas de leur porte, tête basse et chapeau à la main, pendant que les héros disparaissaient dans le soleil couchant sans même se retourner pour leur faire un dernier bobye. Quel toupet, cette Blanche-Neige ! Quelle ingratitude ! Ils l'avaient tout de même accueillie dans *leur* maison alors que le chasseur à la solde de la méchante reine courait après elle pour lui arracher le cœur! D'accord, elle avait payé son gîte et son manger en les torchant, mais ils lui avaient sauvé la vie! *Et ils l'aimaient!* Je ne comprenais pas que le bec mouillé d'un Prince Charmant qu'elle n'avait jamais vu de sa sainte vie (sauf dans le film où il venait, au début, chanter une chanson plate sous son balcon pendant qu'elle se tortillait comme une idiote) suffise à Blanche-Neige pour qu'elle laisse tout tomber, sans regrets et sans remords!

J'essayais d'imaginer la soirée des sept nains après le départ de leur amour, et je connaissais mes premières petites crises d'angoisse. Quelle horreur! Ils n'allaient quand même pas yoodler et danser comme des perdus sans Blanche-Neige pour les accompagner et les encourager quand ils commençaient à faiblir (après tout, ils avaient pioché dans les diamants toute la journée)! Ce devait être ça, une peine d'amour... être obligé de tout faire comme avant alors que le monde vient de s'écrouler autour de soi... Je me recroquevillais dans ma caverne magique, je serrais le livre contre moi et j'inventais des fins à *Blanche-Neige et les sept nains.*

*

Les cours arrière des Guérin, des Jodoin et des Beausoleil n'étaient séparées que par des clôtures de bois faciles à franchir, ce qui nous faisait un vaste terrain de jeu, accidenté mais agréable, dominé par l'arbre des Jodoin, un des plus hauts de la rue, qui servait de but quand on jouait à la cachette ou à *branche-branche* à travers la ruelle de la rue Fabre, entre Mont-Royal et Gilford. Nous y avons tout fait: des parades à thème parfois religieux — je sacrais parce qu'on me faisait trop souvent jouer saint Joseph —, des pièces de théâtre avortées que nous ne jouions jamais parce que la chicane finissait toujours par pogner avant le jour de la représentation, des cabanes érigées avec n'importe quoi qui tenaient debout n'importe comment, des grands jeux qui se terminaient invariablement dans les larmes parce que les filles battaient les gars et que les gars étaient braillards, des concours de grande pisse entre garçons, jeu des plus subtils et, surtout, des plus odorants, de vrais mauvais coups comme de faire boire du pipi dans une bouteille verte à quelqu'un — de préférence une fille — en lui faisant croire que c'était du Seven-Up, très peu souvent punis parce que presque jamais dénoncés.

Nous étions quatorze: trois Guérin (Gisèle, Micheline, Pierrette), quatre Jodoin (Jean-Paul, Jean-Pierre, Marcelle, Serge), quatre Beausoleil (Nicole, Roger, Claude, une fille dont j'ai oublié le nom), deux Rouleau (Ginette, Louise) et moi, un nœud d'enfants bruyants qui passaient leurs étés en ville parce que leurs parents n'avaient pas les moyens de faire autrement et qui hurlaient du matin au soir, beau temps mauvais temps, déguisés ou non, canicule ou pas.

Une amitié indéfectible nous unissait et je garderais les mêmes amis quand nous déménagerions sur la rue Cartier dans les années cinquante, incapable de me former une nouvelle gang dans un quartier que je ne connaissais pas et qui me semblait menaçant.

Les soirs de canicule, épuisés d'avoir quand même joué comme des effrénés alors que nos mères nous conseillaient de lire en buvant de la limonade, nous nous réunissions autour des balançoires des Beausoleil pour chanter les plus beaux fleurons du recueil de *La Bonne Chanson* de l'abbé Gadbois. Nos voix, fausses pour la plupart — surtout la mienne —, montaient dans la nuit humide de Montréal pour hurler les aventures du *Petit Cordonnier* ou décrire la dramatique traversée du bateau de *Il était un petit navire,* jusqu'à ce que madame Beausoleil sorte de la maison pour nous dire de la fermer parce qu'il était assez tard et que les voisins, ce qui était faux, menaçaient d'appeler la police. Nous brisions à regret la coquille qui nous avait enfermés toute la journée, j'allais reconduire les sœurs Rouleau qui habitaient à côté de chez nous et je rentrais me réfugier dans ma caverne magique pour lire un peu avant de m'endormir. C'étaient des étés absolument délicieux dont j'ai gardé le goût précis et l'odeur intacte.

Un été pluvieux, j'avais peut-être onze ans, où il était absolument impossible de jouer dans la ruelle plus d'une heure ou deux d'affilée sans que des trombes d'eau nous tombent dessus, j'eus l'idée de tester mes nouvelles fins de *Blanche-Neige* sur mes amis et leur offris, par un après-midi particulièrement mouillé, de leur raconter une belle histoire.

Le projet ne fut pas accepté d'emblée, certains détestant rester immobiles pendant qu'on leur racontait une histoire, d'autres doutant franchement de mon talent de conteur.

Madame Beausoleil, qui m'avait entendu par la fenêtre grande ouverte de sa cuisine, sortit en trombe de sa maison.

« Tu viendras pas conter des histoires pas propres dans ma cour, Michel Tremblay !

— J'veux pas conter d'histoires pas propres !

— Tu viens de dire que tu veux conter des histoires...

— Ben oui, mais c'est des histoires... des histoires comme on en lit dans les livres, je sais pas, comme des contes de fées, des affaires de même...

— T'es sûr ?

— Ben, oui !

— C'est pas des histoires cochonnes, là, qui vont mettre des idées dans' tête de mes enfants ?

— Ben, non... J'en sais même pas, des histoires cochonnes !

— Chus pas sûre de ça, moi !

— Vous me croyez pas ?

— R'garde-moi ben dans les yeux pis répète-moi ça, pour voir... »

Ce que je fis en espérant qu'elle ne voie rien.

« En tout cas. J'entends toute de mon châssis de cuisine, tu sais, pis si j't'entends dire un seul mot pas correct, tu retournes directement chez vous pis tu remets pus jamais les pieds ici ! As-tu compris ?

— Ben oui... Fâchez-vous pas, madame Beausoleil... Pis vous pouvez m'écouter tant que vous voulez, ça me dérange pas ! »

J'étais plutôt flatté, en fait, de faire mon numéro devant une adulte. Mais nous étions tous les quatorze un peu estomaqués d'apprendre qu'elle nous espionnait à cœur de jour en cuisinant ou en faisant son lavage... Les niaiseries qu'elle devait se taper en une journée, la pauvre femme!

Mes débuts de conteur ne furent pas triomphants, loin de là. Je m'y pris plutôt mal et faillis ne même pas pouvoir commencer du tout.

«Vous connaissez l'histoire de *Blanche-Neige et les sept nains*?»

Un concert de protestations, des sifflets, des moqueries:

«Pas ça!

— Pas c't'affaire plate là!

— C'est ça, ta belle histoire?

— On la connaît par cœur!

— Tout le monde est capable de conter ça!

— T'es ben bébé!

— On joue-tu à'cachette, même si y pleut?»

J'étais consterné. Je n'avais pas encore commencé qu'on ne me comprenait déjà pas!

«Écoutez-moé, j'veux pas vous conter Blanche-Neige, là!

— Ben, c'est ça que tu nous dis!

— Non, j'vous demandais juste si vous connaissiez c't'histoire-là!

— Ben sûr qu'on la connaît, on est pas des ignorants!

— C'est la première histoire que ma mère m'a contée, j'pense, quand j'étais petite!

— Pis c'est plate pour mourir!

— C't'ennuyant!

— C'est bébé!»

Je levai la main pour les faire taire.

«Pis la fin vous a jamais dérangés?

— La fin?

— Quelle fin?

— Ben, la fin de l'histoire...

— Y finissent toutes pareil, les histoires, voyons donc! Tu le sais pas?»

Treize petites voix moqueuses, treize petits visages grimaçants, treize petits dards dans mon cœur trop sensible:

«Ils se marièrent et eurent beaucoup d'enfants!»

D'autres rires.

Nicole Beausoleil se pencha vers nous après avoir jeté un coup d'œil par la fenêtre de la cuisine, baissa la voix.

«Ma mère, a' dit que c'est loin d'être le bonheur parfait quand on a beaucoup d'enfants...»

Marcelle Jodoin soupira.

«La mienne, a' dit même que Blanche-Neige aurait jamais dû se marier...»

Micheline Guérin faisait la moue.

«Ma gand-mère, elle, a' veut même pas que je lise c't'histoire-là... A' dit qu'une femme avec sept hommes dans la maison, c'est pas convenable...

— Tu viens de dire que c'tait bébé, pourtant...

— Moi, j'trouve ça bébé, c'est ma grand-mère qui trouve pas ça convenable !

— Aïe, on joue-tu à' cachette ? Premier arrivé sera dedans ! »

Serge Jodoin, l'un des plus jeunes du groupe, part en courant, grimpe la clôture, saute dans la cour des Jodoin, va toucher l'érable. On entend sa petite voix à travers la pluie :

« C'est moé ! Chus t'arrivé au but le premier ! »

Personne ne le suit ; il revient, piteux.

« Vous êtes assez plates, vous autres, les grands ! Vous voulez jamais jouer à rien ! »

J'essaie de faire revenir la paix, mais les plus jeunes ont commencé à se tirailler, les plus vieux n'arrivent pas à les séparer et je vois venir le moment où je devrai abandonner toute velléité de raconter ma suite personnelle à *Blanche-Neige et les sept nains*.

Mais Ginette Rouleau, comme toujours, réussit à rétablir l'ordre dans la cour mouillée ; les jeunes sont séparés, les plus vieux rassis sur les chaises de la galerie, les filles ont replacé leur robe, les garçons remonté leur culotte.

« On va y donner une chance. Laissez-lé parler, un peu. Pis si c'est trop plate, on fera des charades. »

Je ne m'en trouvais pas très valorisé. Être remplacé par des charades! Franchement!

Je commençai lentement pour ne pas trop les mêler. Il faut dire que ce que j'allais leur raconter était pas mal compliqué et que j'avais peur de me perdre moi-même dans ma propre histoire...

«Écoutez... Vous vous souvenez que Blanche-Neige pis le Prince Charmant sont partis tu-suite après que Blanche-Neige se soit réveillée dans son cercueil...

— Ben oui!

— Y'étaient quand même pas pour rester là!

— C'tait ben que trop petit! Des p'tits lits, pis des p'tites assiettes, pis des p'tits couteaux, pis des p'tites fourchettes...

— Pis des p'tites toilettes!

— O.K.! O.K.! Donc, ça veut dire que les sept nains restaient tu-seuls...

— Ben, y'étaient tu-seuls avant que Blanche-Neige arrive, non? Y'est-tu bon, lui!»

Ma tâche ne serait pas facile. Je pris une grande respiration, sautai à pieds joints dans le vif du sujet.

«Mais c'qu'y'oublient de dire, dans la vue pis dans les livres... c'est que le Prince Charmant avait oublié le jonc de mariage qui était tombé dans le fond du cercueil pendant qu'y'était après embrasser Blanche-Neige...

— Hein! Sans jonc, y pouvaient pas se marier! Y faut un jonc pour se marier, sinon ça compte pas!»

Ginette Rouleau était aussi notre grande spécialiste de l'étiquette.

« C'est pas toute... »

Les têtes commençaient à se pencher vers moi, mon cœur battit un peu plus vite.

« Imaginez-vous donc qu'en plus le Prince Charmant avait oublié de dire aux sept nains...

— Quoi, quoi...

— De quel pays y'était le prince !

— Pis !

— Qu'est-ce que ça fait ?

— Ben, quand y'ont trouvé le jonc en faisant le ménage dans le cercueil...

— Ouache ! Ça sentait-tu le mort ?

— Serge ! Arrête de faire ton comique pis écoute Michel ! Ou ben donc rentre chez vous !

— Donc, quand y'ont trouvé le jonc... y savaient pas où aller le livrer ! »

Ginette fronça les sourcils et je sentis que j'étais dans le trouble...

« Ben, c't'un prince, y'avait juste à en acheter un neuf ! »

Les autres acquiescèrent ; il fallait que je pense vite.

« Ben... C'tait un jonc qu'y se passaient de père en fils depuis des générations dans c'te famille de rois là, pis y pouvaient pas se marier si y l'avaient pas ! Le père du prince venait de mourir, y y'avait donné le jonc juste avant en y disant de partir à la recherche de la femme idéale, pis le prince était tombé sur Blanche-Neige!»

Pas de protestations. Soulagement.

Serge Jodoin se planta le doigt dans le nez et se mit à fouiller méticuleusement, probablement à la recherche de quelque trésor qu'il triturerait ensuite pendant de longues minutes, la bouche ouverte, les yeux ronds:

«Que c'est qu'y'ont faite, les tits-nains, pour le retrouver, le prince, d'abord?

— Ben, y se sont séparés pis y sont allés visiter sept pays chacun de leur côté...

— Hein!

— Pas vrai!

— Ben voyons donc...

— Ben oui, pis c'est ces sept aventures là que je veux vous conter!

— Hein!

— Pas vrai!

— Ben voyons donc!»

J'avais l'attention des treize enfants, madame Beausoleil avait passé la tête dans sa fenêtre, sourcils froncés, une épingle droite dans la bouche; je pouvais commencer...

Mais Ginette Rouleau leva le doigt. Je n'arriverais donc jamais à entamer ma maudite histoire!

«Excuse-moi encore une fois mais... qui c'est qui a gardé le jonc?

— Comment ça, qui c'est qui a gardé le jonc?

— Ben oui, y'étaient sept, y fallait ben qu'y laissent le jonc quequ'part au cas où y'en a un qui trouverait Blanche-Neige pis son mari! Y pouvaient quand même pas se téléphoner!

— 'Coudonc, qui c'est qui la conte, c't'histoire-là? J'ai même pas encore commencé pis tu me poses des questions! Si tu me coupes toujours comme ça, on ira pas loin!

— Si tu le prends comme ça, j'm'en vas chez nous!

— Ben non, reste mais écoute, un peu, laisse-moi le temps de commencer!»

Il fallait que j'invente encore rapidement quelque chose, cette fois au sujet du maudit anneau de mariage que j'avais effectivement oublié... Je commençai à lui répondre avant même de savoir comment je finirais ma phrase:

«Pis si tu veux savoir, là, ben j'y avais pensé, au jonc! *(Pensons vite! Pensons vite!)* Le jonc, là... le jonc, là... ben y l'ont accroché après une des dents d'un lapin, y'ont enfermé le lapin dans la maison avec des tonnes de carottes, pis y y'ont dit de les attendre pis de jamais recracher le jonc parce qu'avec ça y'avait l'air d'avoir une dent en or pis que ça y faisait bien! O.K., là?»

Ouf!

Ginette resta bouche bée. Elle avait voulu me tester, j'avais brillamment passé mon examen, j'avais maintenant sa confiance. Je pouvais plonger sans inquiétude.

Mon histoire captiva tellement mon auditoire que pendant les semaines qui suivirent, quinze minutes par jour furent consacrées, beau temps mauvais temps, aux aventures des sept nains à travers sept pays sur sept continents (Ginette, championne en géographie, contesta bien un peu le nombre de continents, mais je lui répondis que le monde des contes de fées en comprenait que nous ne connaissons pas, ce qui, à mon grand soulagement, sembla la satisfaire).

Je n'inventais pas tout, loin de là. Je m'inspirais de ce que je lisais, de tous les films que j'avais vus dans ma vie, des radio-romans que nous écoutions à la maison (je me souviens en particulier d'une série qui s'intitulait *Soucoupe volante S-52* et qui me fut d'une grande utilité quand l'un des nains fut enlevé par des extraterrestres!), des contes de fées que mes cousines m'avaient racontés, de ceux que lisait tante Lucille à la radio, le samedi matin, des *comics* de *La Presse*, de ceux que j'achetais chez monsieur Guimond, sur la rue Gilford; je puisais mes effets comiques dans *Zézette* et mes effets dramatiques dans Charles Perrault ou Hans Christian Andersen; je mélangeais tout ça n'importe comment, je passais d'un nain à l'autre quand je manquais d'inspiration, je faisais intervenir la bonne fée de *Pinocchio,* la marâtre d'*Aurore, l'enfant martyre,* la baleine de *Moby Dick,* le Chat botté et Yvan l'intrépide, Peter Pan et Mickey Mouse, Hitler et Rintintin; j'utilisais ce que j'avais retenu des descriptions de Jules Verne que je venais de découvrir, je mimais, je prenais des voix, je pleurais quand quelqu'un était sur le point de mourir et je sautais d'excitation quand deux ennemis se réconciliaient enfin après dix mille ans de chicanes compliquées et de guerres sanglantes...

Un balai devenait une épée, puis une baguette magique, puis redevenait le balai d'une sorcière (celle, par exemple, qui perdait une dent chaque fois qu'elle disait «J'ai frette!» au lieu de «J'ai froid!» et qui se vantait d'en avoir perdu plus de dix mille!) pour ensuite se transformer en gigantesque bonbon qu'un des nains empoisonnait pour endormir un quelconque géant; je décrochais des serviettes étendues sur la corde à linge pour m'en faire des robes, des sous-vêtements pour m'en faire des chapeaux, des bas pour m'en faire des oreilles. Je devenais tour à tour ballerine, chevalier, dragon, ours polaire ou ver de terre en essayant de trouver une personnalité et une voix pour chacun des personnages que j'inventais. Quand je ne réussissais pas, je changeais de nain et continuais une histoire abandonnée depuis quelques jours dans l'espoir que personne ne se rendrait compte que tout ça était ficelé avec une bien grosse corde...

Mais Ginette Rouleau était toujours là pour me ramener dans le droit chemin.

Je voulais la tuer quand elle me posait une de ses maudites questions, mais je me faisais toujours un devoir de lui répondre d'une façon satisfaisante. Je crois même qu'elle fut ma première critique!

J'essayais d'imiter les *serials* américaines qui m'excitaient tant, le samedi après-midi, à la salle paroissiale, et de laisser chaque jour un de mes héros en danger de mort ou sur le point de découvrir un indice important sur les allées et venues de Blanche-Neige et de son insignifiant de mari. C'était difficile, mais j'étais tellement content quand j'y arrivais!

Mes soirées étaient consacrées à ce que j'allais raconter le lendemain, je dormais souvent mal, je mourais de trac avant ma performance de la journée, mais j'étais un enfant heureux.

Sans trop m'en apercevoir, je découvrais comment utiliser mon imagination, comment construire une histoire, comment, surtout, me faire aimer des autres en devenant indispensable. J'apprenais déjà à devenir un loisir!

Je n'ai aucun souvenir de la fin de mon histoire, je ne suis même pas sûr de l'avoir jamais terminée. Défaitiste comme je l'ai toujours été, j'étais bien capable de décider que les sept nains, après sept ans de voyage à travers sept pays sur sept continents, avaient été incapables de retracer leur idole, qu'ils revenaient chez eux bredouilles et qu'ils trouvaient, à la place de leur si jolie maison, une gigantesque montagne de crottes de lapin!

Curieusement, il ne m'est jamais venu à l'idée, pendant cet été-là, d'écrire ce que je racontais. Je ne ressentais encore aucun besoin de m'installer à la table de la salle à manger où je faisais mes devoirs pour me confier à la page blanche; cela viendrait plus tard, quand je commencerais à avoir des problèmes personnels à raconter, je suppose, plutôt que des aventures glanées ici et là et pimentées, seulement pimentées, par mon imagination.

L'été passa à toute vitesse, les trombes d'eau nous laissaient indifférents, et je crois bien que tous les quinze, en s'identifiant à l'un des sept nains, madame Beausoleil y compris, nous étions à la recherche de Blanche-Neige et de son insipide conjoint.

*

« Ça fait un bout de temps que t'as pas pris un livre sur *Blanche-Neige et les sept nains*... T'as fini par te tanner ?

— Non... J'ai jamais trouvé la fin que je voulais, ça fait que j'm'en sus inventé sept... »

UN POULET POUR NOËL

Jo Hatcher

Toujours la même bibliothécaire:

«Je viens de recevoir quelque chose qui va peut-être t'intéresser...»

Elle disparaît derrière le mur du fond de l'immense salle, là où sont reçus, inventoriés, étiquetés les nouveaux livres, le saint des saints où je n'ai jamais été admis malgré ma grande curiosité. Mon cœur bat plus fort. Le Captain Johns a-t-il publié une nouvelle aventure de Worrals ou de Biggles, la collection «Jean-François» a-t-elle enfin sorti *La Tortue d'ébène,* la suite tant annoncée du *Lac sans fond* que je réclame depuis des mois? À moins qu'on ait fini par relier à neuf le dernier volume du *Mouron rouge* que je n'ai pas encore lu parce qu'il était trop détérioré?

Elle revient avec une plaquette pas encore reliée en brun chocolat passé date ou en vert malade, qu'elle me tend avec un air complice.

«Je vais te le prêter même si y'est pas encore répertorié. Mais j'peux pas le laisser sortir, faudrait que tu le lises ici... De toute façon, c'est pas long à lire. J'ai tout de suite pensé à toi quand je l'ai vu. J'te dis pas pourquoi, je veux que tu t'en rendes compte par toi-même...»

Bon, un mystère!

Ma déception est grande. Une couverture rose. Un livre de fille! Un titre d'une confondante banalité: *Un poulet pour Noël*. Un auteur, une auteure, en fait, que je ne connais pas. Une illustration qui décourage la lecture: une famille attablée autour de ce qui semble être un repas des Fêtes aussi ennuyant que les nôtres. On est bien loin des palpitants combats aériens de Biggles ou des houleuses traversées de la Manche du Mouron rouge, l'ennemi de la Révolution française, qui m'intéressent tant à cette époque-là...

Je lève un visage déçu vers la bibliothécaire. Elle sourit.

«C'est pas tellement le livre lui-même... Écoute, si t'as une petite demi-heure, installe-toi à une des tables et consulte-le bien attentivement...

— Le dernier *Mouron rouge* a toujours pas été relié?

— Non. Mais laisse faire *Le Mouron rouge* et lis ça. Tu m'en donneras des nouvelles.»

C'est bien pour lui faire plaisir, ce livre-là ne me dit rien du tout!

Plus piteux que je ne voudrais le laisser paraître (on n'est quand même pas à l'école pour se faire imposer des lectures, plates par-dessus le marché!), je me dirige vers l'une des trois immenses tables de bois verni. Quelques enfants lisent des Tintin. Je m'assois avec eux — chose que je ne fais jamais parce que la lecture, pour moi, est un plaisir solitaire —, j'ouvre le livre.

Dès les premières pages, je me rends compte que c'est un des livres les plus niaiseux que j'ai jamais lus.

L'histoire est sans intérêt, les personnages sans surprise, on ne peut pas parler du style parce que c'est traduit sans imagination de l'anglais ; c'est enfantin, c'est bébé, j'haïs ça... Seule qualité, c'est court, et comme j'ai le dos tourné au comptoir où trône la bibliothécaire, j'en profite pour en passer des bouts. Je ne lis pas les descriptions, j'en parcours juste assez pour pouvoir répondre à ses questions, parce qu'elle va sûrement m'en poser, elle ne m'a pas prêté ce livre-là pour rien !

Mais qu'est-ce que je vais bien pouvoir lui répondre quand elle va me demander si j'ai aimé ça ? Lui mentir pour ne pas lui faire de peine ?

Et pourquoi a-t-elle tant insisté ? Elle connaît pourtant mes goûts, depuis le temps qu'elle étampe les livres que je sors d'ici ! Aucun des livres que j'ai choisis depuis que je me suis abonné à la Bibliothèque municipale, cinq ou six ans plus tôt, n'a jamais ressemblé à ça ! Aucun ! J'ai quand même plus de goût que ça !

Je termine ma lecture à toute vitesse, je referme la plaquette. Je n'ose pas encore me retourner. Si seulement elle pouvait tomber malade, si l'ambulance venait la chercher, si elle était opérée d'urgence, je n'aurais pas à l'affronter ! Je suis en train de rassembler mon courage pour lui faire face lorsque le texte de quatrième de couverture attire mon attention. Un chiffre, surtout, me fait pencher le nez sur le livre. 13. 13 ans...

Le choc est tellement grand que je sursaute sur ma chaise. Ce livre, aussi ennuyant soit-il, a été écrit par une petite fille de treize ans ! Une petite fille de *mon âge*! Une petite fille de *mon âge* a réussi à faire publier un livre! Même mauvais!

Je finis le court texte. Londres, Angleterre. À Londres, en Angleterre, les enfants de treize ans peuvent publier des livres!

Je reprends la plaquette dans mes mains, la feuillette, y fourre le nez. Un beau livre tout neuf qui sent encore bon l'encre d'imprimerie!

Tout ça a été fait par une petite fille! Et son livre s'est rendu jusqu'à moi, à l'autre bout du monde, dans le fin fond du Canada français, là où même les grands écrivains, selon mon frère Jacques qui a fait son cours classique et qui connaît tout, ont de la difficulté à se faire publier parce que ça coûte trop cher! On nous apprend, à l'école, que nous vivons dans le pays du papier et que les Européens, qui n'en ont presque pas, sont obligés de nous en acheter, mais on n'arrive pas à publier nos propres écrivains! Et les Anglais nous ont acheté du papier pour publier une enfant de treize ans? Ça se peut pas!

Ma douleur est tellement grande, ma jalousie, surtout, si cuisante que je me mets à brailler comme un veau. Je viens à peine de commencer à écrire, juste pour moi, de toutes petites choses bien timides que je cache dans le gros atlas de mon frère pour que personne ne les trouve, je n'ai même pas encore osé rêver d'être publié un jour parce que je croyais la chose impensable, et voilà qu'une petite Anglaise sans talent vient me donner des complexes! C'est une vraie frustration d'écrivain en herbe qui me fait réagir ainsi, l'injustice que tout ça représente qui me renverse : si j'écrivais un aussi mauvais livre, moi, à mon âge, est-ce qu'un éditeur montréalais se donnerait la peine de me publier ? Même en plein pays du papier ? Sûrement pas ! Je viens d'un petit coin français perdu, submergé dans une mer anglophone, et les chances que mon nom soit un jour non pas *connu* mais juste *prononcé* en Angleterre sont nulles, absolument nulles ! Non pas que je veuille être connu en Angleterre, l'idée ne m'est évidemment jamais venue à l'esprit, mais pour la première fois de ma vie, je voudrais avoir la liberté de pouvoir en rêver ! Je voudrais que ce rêve, si jamais je l'avais, ne soit pas irrémédiablement bloqué juste parce que je suis un Canadien français ! Si cette insignifiante-là a pu se rendre jusqu'à moi, pourquoi est-ce que je n'ai aucune chance, moi, aucun droit, même, de parvenir jusqu'à elle ?

Je pleure de plus en plus fort, mes épaules sont secouées par mes sanglots, la morve me coule du nez, je n'ai rien pour me moucher parce que c'est l'été et que l'été on n'a jamais le rhume... L'humiliation, pour un adolescent de treize ans, de se voir obligé de se moucher sur sa manche de chemise de coton fleurie devant tout le monde est indescriptible. On veut mourir, non, pire, on est déjà mort !

Les autres enfants me regardent en fronçant les sourcils. Qui c'est ça, c'te moumoune-là, qui pleure en lisant un livre de fille ?

Soudain, elle est là, à côté de moi, accroupie. Affolée. Elle me prend par les épaules, puis par la tête ; elle me serre contre elle. Elle sent sûrement bon le propre et le savon, mais je ne peux rien sentir, mon nez est bloqué à tout jamais. Je vais sûrement mourir étouffé dans ma morve et ce sera de sa faute!

«Mon Dieu, qu'est-ce qu'y'a? Qu'est-ce que t'as? J'ai fait ça... J'ai fait ça parce que je pensais que peut-être tu rêvais de devenir écrivain, un jour, tu lis tellement... Pourquoi tu pleures comme ça? J'voulais juste que tu saches que c'est possible de publier même quand on est très jeune...»

Je la repousse, je me défais d'elle, je suis debout à côté de la table de chêne, furieux, le doigt pointé, accusateur, la voix tremblante.

«En Angleterre, oui!»

Je jette le livre par terre et je sors avant qu'elle puisse me répondre.

*

Je suis affalé sur un banc du parc Lafontaine, je regarde la Bibliothèque municipale, cause de ma frustration, de ma colère, et je la hais. Je ne remettrai sûrement plus jamais les pieds là-dedans! À quoi ça sert de lire tant de livres si on ne peut même pas rêver d'en publier un, un jour!

Puis je pense à ma grand-mère Tremblay, à madame Allard, qui avaient tant lu, à mon frère Jacques, aussi, lecteur invétéré, à ma mère qui dévore une brique dans le temps de le dire quand elle s'y met; ont-ils jamais rêvé d'écrire? Je ne me suis jamais posé la question, concentré que j'étais sur mon propre désir naissant.

Mais est-ce que la lecture ne mène pas obligatoirement au goût de l'écriture, au besoin de l'écriture?

Pour moi, la chose est évidente depuis quelque temps, mais eux, en parcourant une page qu'ils trouvaient particulièrement belle, que ce soit de Henry Bordeaux, de Balzac, de Pierre Benoit ou de George Sand — mon frère se pâme, ces temps-ci, sur *La Mare au diable* —, ont-ils jamais rêvé comme il m'arrive de plus en plus souvent de le faire qu'ils étaient l'écrivain, qu'ils vivaient à l'intérieur de Balzac ou de George Sand, installés devant un grand cahier de beau papier blanc et *écrivant* avec une passion qui frisait la folie l'histoire qu'ils lisaient?

Mes pensées sont confuses. Ma grand-mère avait-elle rêvé d'être Zola une fois, une seule fois dans sa vie? Mon frère Jacques se voyait-il parfois en George Sand? Est-ce que tout le monde rêve d'être George Sand en la lisant? Pourquoi pas? Tout le monde a une histoire à écrire, une œuvre à enfanter!

Ma grand-mère, surtout, aurait eu des choses tellement belles à raconter avant de mourir! Son enfance dans Charlevoix, les quatre bateaux blancs qui partaient de La Malbaie pour remonter le Saguenay, le *Tadoussac,* le *Québec,* le *Saint-Laurent* et le *Saguenay* — je m'en souviens encore et quand je récite leurs noms je les compte sur mes doigts comme elle m'avait montré à le faire quand j'étais tout petit; le lac Saint-Jean, tout au bout, mer intérieure toute noire et d'une si grande beauté qu'elle ne pouvait pas en parler sans sortir son mouchoir; la suffocation qui l'avait terrassée quand elle s'était vue obligée de déménager à Montréal, au début du siècle, pour suivre Télesphore Tremblay qu'elle allait épouser... La misère, la misère noire des paysans de partout au Québec venus s'installer en ville pour devenir des ouvriers mal payés, le *cheap labor* des grandes compagnies anglaises, eux qui n'avaient jamais connu que le grand air... Tout ce temps-là, pendant qu'elle plongeait dans la paysannerie française, anglaise ou russe du dix-neuvième siècle, avait-elle rêvé de coucher doucement sur du papier blanc sa propre genèse du bout du monde? J'aimerais tellement qu'elle soit encore là pour le lui demander. («Grand-moman, as-tu déjà écrit des livres dans ta tête? — Oui mon p'tit gars, pis j'te dis que c'était beau, cher!»)

Évidemment, il y a le talent. Mais qui aurait pu dire, qui aurait pu juger si elle en avait? Si moi j'en ai? Et le besoin de s'exprimer est-il plus fort que le talent pour le faire? Est-ce que seul le talent donne le droit de s'exprimer?

Pendant quelques secondes, je nous vois tous les cinq installés autour de la table de la salle à manger; j'ai ressuscité ma grand-mère et madame Allard — je les ai un peu améliorées, elles ne boitent plus, leurs pieds sont bien droits sous la table —, ma mère et mon frère ont le nez penché sur leur travail, les plumes grattent le papier; de temps en temps quelqu'un soupire ou rit d'aise parce qu'une belle phrase vient d'être achevée. La satisfaction du travail bien fait. Le bon mot. La bonne formule. Madame Allard et ma grand-mère se parlent enfin, mais à voix basse pour ne pas déranger les autres écrivains. Ce qu'elles se disent est sûrement très beau parce qu'elles se frottent les yeux avec des mouchoirs de dentelle. Des fois, maman chantonne *Le Temps des cerises,* la chanson qui aura traversé toute sa vie. Je pleure pour la deuxième fois en moins d'une demi-heure, mais cette fois je suis euphorique. Ah! Passer le reste de ma vie en leur compagnie, blotti entre maman et grand-maman rendues éternelles par ma seule volonté, et écrire!

Rêve insensé! Maudit fou! Faudrait déménager en Angleterre!

*

«Chus contente que tu sois revenu. J'avoue que j'étais inquiète de te voir partir comme ça... J'ai même téléphoné à ta mère.»

Je pourrais l'envoyer chier. Je me retiens.

«Chus juste venu vous dire que je me désabonne.»

Elle enlève ses lunettes qui restent pendues à son cou par une chaînette en or. C'est la première fois que je vois un truc comme celui-là et ça me déconcentre. Elle se penche vers moi.

«T'as pas besoin de te désabonner, t'as juste à pus venir prendre de livres...»

C'est tout. J'aurais voulu qu'elle essaie de me dissuader, qu'elle me supplie de rester, qu'elle m'engueule parce que je me ferais un plaisir de refuser, qu'elle me traite de tous les noms, mais cette froideur m'étonne et me déconcerte. Ça ne lui fait donc rien de perdre l'un de ses plus fidèles abonnés? À moins qu'elle veuille que j'aille à elle de moi-même, que je me confie, que je me confesse? Elle peut bien attendre! Il ne me reste plus qu'à tourner les talons et à sortir le plus dignement possible... mais j'en suis incapable.

« T'es jaloux de la petite Anglaise, hein?

— Non, la lecture m'intéresse pus, c'est tout. »

Elle retient un sourire, je m'en aperçois et je voudrais lui arracher ses lunettes, les jeter par terre, les piétiner. Comme ça, la chaînette n'aurait servi à rien!

Elle est trop perspicace, je ne veux plus jamais la revoir de ma vie!

« En tout cas, si tu changes d'idée... »

Je reprends ma carte d'abonné que j'avais laissée sur le comptoir, plus tôt.

C'est tout. C'est fini. Je ne lirai plus jamais. Je jette un dernier regard circulaire sur la salle. Adieu, mes amis. Je me complais dans mon malheur. Je me vois, debout au milieu de la salle, faisant des adieux déchirants à Michel Strogoff et à Worrals, et je trouve que ça ferait une belle scène triste de film pour toute la famille. J'espère que je fais bien pitié et qu'elle va regretter son mauvais coup toute sa vie, la vieille chipie! En fait, elle est loin d'être vraiment vieille, mais c'est une chipie quand même.

Je me dirige vers la porte.

« Si c'est des excuses que tu veux, si tu veux qu'on parle, t'as gagné... J'comprends pas ce qui s'est passé, j'aimerais ça que tu me le dises... »

Je suis dehors.

Va-t-elle courir après moi, crier dans la rue qu'elle a eu tort, qu'elle est *vraiment* désolée? Je marche plus lentement.

Rien.

Maudite marde!

*

Quelques jours plus tard, n'y tenant plus, incapable d'imaginer une journée de plus sans lecture, je reviens, mine de rien, à la Bibliothèque municipale et choisis six livres.

Elle ne me dit rien. Elle se contente d'étamper les cartes avec un peu plus d'énergie que d'habitude. Et je crois bien qu'elle me regarde d'une drôle de façon. Je fais semblant que je ne m'en aperçois pas.

À l'avenir, j'essaierai de ne pas trop rêver en lisant; si j'en suis capable.

WORRALS, BIGGLES, KING

Captain W. E. Johns

Elle était entrée en coup de vent dans la pièce double qui nous servait de chambre, à mes deux frères et à moi, un grand espace avec balcon, décati mais confortable et sympathique, qui donnait juste au coin de Cartier et Mont-Royal.

Ma grand-mère Tremblay morte, ma tante Robertine partie avec son fils Claude, les deux frères de mon père, Fernand et Gérard, casés dans une maison de chambres de la rue Papineau, nous avions enfin un appartement à nous. Mais c'était cher. Aussi, pour rejoindre les deux bouts, mes parents louaient-ils une chambre, la première à droite en entrant, à un monsieur Migneault, gentil mais très porté sur l'eau de Cologne.

Comme d'habitude, je lisais.

«Michel, si t'arrêtes pas de te tortiller comme une chenille sur ce fauteuil-là, j'vas aller acheter une can de Raid! Si au moins j'pouvais rêver que tu te transformes en papillon, un jour!

— J't'ai déjà demandé de frapper avant d'entrer dans ma chambre, moman!

— J'veux ben frapper avant d'entrer dans' chambre de notre chambreur, mais laisse-moi te dire, mon p'tit gars, que le jour oùsque j'vas frapper avant d'entrer ici, les poules vont avoir des dents pis les cochons vont donner des œufs!

— J'commence à être pas mal tanné, y'a même pas moyen d'avoir un peu d'intimité, ici-dedans !

— T'as rien à cacher à ta mère ! »

En fait, comme tous les adolescents, j'avais des tas de choses à cacher à ma mère, la moins importante n'étant pas que j'avais commencé à me tripoter en lisant les romans du Captain W. E. Johns. Est-il besoin d'ajouter que je ne voulais pas la voir entrer dans la pièce au moment stratégique ? Ce qui venait presque d'arriver, d'ailleurs ; j'avais juste eu le temps de retirer ma main en l'entendant approcher dans le corridor. Si ma mère avait été une femme plus mince et plus discrète dans sa démarche, elle m'aurait ce jour-là pris en flagrant délit de péché mortel. Je serais probablement mort de honte. Et elle aussi.

« Pis lève-toi de là, faut que t'ailles à la Household Finance !

— Encore ! Ça achève pas ? J'y vas tous les vendredis depuis quasiment un an !

— Ben oui, pis t'en as encore pour six mois à y aller ! Si ça t'intéressait pas d'aller remettre de l'argent emprunté à la Household Finance tous les vendredis, t'avais juste à venir au monde dans une famille riche ! En attendant, lève-toi pis marche, comme disait l'autre. Pis laisse-moi *mon* fauteuil, un peu... »

Son fauteuil était une énorme bête en simili cuir rouge vin, de la première génération des La-Z-Boy, je crois, que mes frères lui avaient achetée quelques mois plus tôt mais qui avait abouti dans notre chambre à nous parce qu'elle était trop encombrante pour celle de mes parents et même pour la salle à manger où était installée la télévision. Ils lui avaient fait ce cadeau pour qu'elle puisse vraiment se reposer en regardant ses émissions favorites, mais il avait été impossible d'installer cette énorme bête dans la salle à manger et il n'était pas question de déménager le poste de télévision dans notre chambre, la seule autre grande pièce de l'appartement... Mais comme ils venaient en plus de garnir notre « garçonnière » d'un système d'air climatisé, maman pouvait quand même profiter de l'air frais tout en se reposant dans son La-Z-Boy.

Nous étions en août et en août ma mère, à cause de son poids et de l'insupportable humidité de Montréal, n'était pas endurable. Elle devenait irascible, impatiente, elle pestait contre tout et sortait des boules à mites sa mauvaise foi mordante annuelle qui pouvait la rendre si odieuse. Nous comprenions tous son état d'exaspération — c'était une des premières choses que j'avais apprises dans la vie : ne pas contrarier ma mère pendant la canicule —, nous marchions sur des œufs, la maison devenait un cloître silencieux où il valait mieux ne pas croiser la mère supérieure dans ses mauvais moments.

Mais cette année-là, grâce au fauteuil et à l'air climatisé, maman passait son premier été à peu près normal depuis très longtemps et nous bénissions tous la technologie moderne, même si cela signifiait qu'elle pouvait venir au beau milieu de la nuit s'étendre quelques heures dans son La-Z-Boy — je me réveillais au petit matin pour aller faire pipi et je la trouvais là, étendue sur le dos, offerte au sommeil, ronflant juste assez pour que ce soit rassurant — ou surgir à l'improviste à n'importe quel moment de la journée pour me détrôner, parce que c'était quand même moi, évidemment, qui en profitais le plus.

Entre deux commandes au Ty-Coq barbecue voisin où j'étais livreur dans mes moments de loisir depuis plus d'un an, je montais chez nous m'étendre pour lire — les après-midi étaient plutôt tranquilles et monsieur Dubuc, le propriétaire, avait accepté que je m'absente pendant les heures les plus creuses ; ma mère était donc obligée de venir me déloger pour profiter un peu de *son* fauteuil.

« Si c'est juste pour t'étendre dans ton La-Z-Boy, moman, t'as pas besoin de m'envoyer au Household Finance, hein, t'as juste à me le demander, j'vas m'asseoir ailleurs.

— Si j'veux profiter de mon La-Z-Boy, Michel, j'ai même pas besoin de te le demander, j'peux juste te jeter en bas ou ben donc t'écraser de tout mon poids si tu veux pas grouiller ! »

Je me dis qu'elle passait probablement une mauvaise journée — ce qui lui arrivait quand même malgré les nouvelles acquisitions — et qu'il valait mieux lui céder la place qui, après tout, lui revenait.

Je m'extirpai du fauteuil en soupirant, le livre plaqué contre mon érection qui refusait de se résorber.

« Pis laisse-moi donc ce livre-là, que je le regarde, un peu... J'me demande c'qui peut y avoir là-dedans pour t'empêcher de sortir pendant une si belle journée ! »

Je fourrai ma main dans ma poche, lui tendis le livre.

Elle portait l'une de ces robes de nuit de coton sans manches bleu pâle qu'elle ne quittait jamais lorsqu'il faisait trop chaud et qui me rappelaient ma petite enfance, ces années bénies où je pouvais grimper sur elle, montagne de chair chaude et molle, pour aller quêter cette affection jamais refusée. Même au mois d'août. Les temps avaient bien changé. L'affection était toujours là, mais sa manifestation n'était plus la même. Depuis quelque temps, quand je devenais trop tendre avec maman, une certaine brusquerie avait remplacé cette chaleur qui avait bercé mes premières années... Je ne voulais probablement pas quitter mon enfance, ni cette chaleur, ma mère le sentait et essayait comme elle le pouvait de me faire comprendre qu'un adolescent de treize ans ne pouvait plus grimper sur sa mère pour aller l'embrasser. Hélas !

Elle se mit d'abord de dos devant le La-Z-Boy, s'appuya aux bras du fauteuil en se penchant et en pliant les jambes, les fesses bien offertes, se donna une poussée vers l'arrière, s'étendit dans un frémissement de cuirette qui se dessouffle, cambra un peu les reins pour faire monter le petit marchepied. Je l'avais trop souvent vue faire pour trouver ça drôle ; maintenant ça me touchait. Cette manœuvre lui demandait toujours un grand effort et elle reprit son souffle avant de parler.

« J'commence à faire des progrès, je l'ai eu du premier coup, c'te fois-là... Des fois, j'ai l'impression d'être en train de me noyer dans la cuirette rouge ! Bon, oùsqu'y'est le livre, là... »

Il avait glissé entre sa cuisse et le bras du fauteuil. Je le repêchai, le lui tendis.

«Tiens, le v'là... mais t'aimeras pas ça, c'est des histoires de guerre, pis de batailles en avion...

— Laisse-moi donc décider de ce que j'aime ou pas, veux-tu?

— T'es ben bête!

— Ben oui, chus bête au mois d'août, tu le savais pas?»

Fin de la conversation, elle faisait semblant de lire.

«Oùsqu'y'est l'argent?

— Tu vas trouver exactement deux piasses et demie sur la table de la cuisine. Pis oublie pas c'que j't'ai dit...

— Tu me le répètes tou'es semaines, moman, aie pas peur, y'aurait même pas moyen de l'oublier même si je le voulais!»

*

Ces visites hebdomadaires à la Household Finance "étaient la honte de ma mère. Et la mienne. Maman se cachait de mon père et de mes frères pour emprunter de l'argent, j'étais son complice obligé parce que c'était moi qui allais remettre cet emprunt petits bouts par petits bouts et ce rôle, qui m'avait d'abord amusé — c'était un secret de plus que je partageais avec elle —, avait fini par me rebuter au fur et à mesure que j'en découvrais les raisons: l'orgueil de cette femme qui avait toujours été pauvre et qui, au moment où son mari et ses fils commençaient à pouvoir la gâter, préférait s'adresser à une compagnie de finance plutôt que de leur en demander;

ce besoin maladif de passer pour quelqu'un qui équilibre bien son budget et peut se payer toutes sortes de choses inutiles alors qu'en fait l'argent venait de la Household Finance ; cette fierté de parader à la messe du dimanche avec des chapeaux extravagants qui coûtaient cher mais qui n'étaient pas payés...

L'une des plus grandes frustrations de ma vie est de ne pas avoir eu le loisir de la gâter comme elle le méritait parce qu'elle est partie trop tôt, de ne pas avoir pu la combler de cadeaux au point de l'entendre dire une fois dans sa vie : «J'en veux pus, j'en ai assez ! » Mes frères, beaucoup plus vieux que moi, ont eu la chance, ont connu le plaisir de la voir porter la main à son cœur en criant : « Le beau La-Z-Boy ! Vous auriez pas dû, j'méritais pas ça... » Moi aussi, parce que mon nom était toujours là, après Armand, Jacques, Bernard, mais ce n'était que par formalité, j'étais trop jeune pour partager les dépenses avec eux. Je n'étais que présent, un spectateur impuissant, je ne faisais pas partie des acteurs et je le regretterai toute ma vie.

Aujourd'hui, elle aurait quatre-vingt-douze ans et serait la vieille la plus comblée du monde.

J'avais connu la Household Finance très tôt. Quelques semaines avant ma première communion, maman m'avait pris par la main, s'était rendue à la succursale de la rue Mont-Royal, m'avait montré au gérant comme un alibi irréfutable, en disant :

« J'ai besoin de cent piasses. C'est pour lui. Pour sa première communion. Pour son habillement pis le party. »

J'avais eu le plus bel habit, le plus beau party de la paroisse, mais pendant deux ans maman s'était rendue chaque semaine au bureau de la Household Finance pour les payer.

La succursale était tout près de chez nous, sur Mont-Royal entre Papineau et Cartier, en haut du Woolworth; je n'avais donc que quelques centaines de pas à faire pour m'y rendre. Mais un code très sévère avait été érigé pour ces visites, une marche à suivre précise à laquelle je ne devais pas déroger: *personne* ne devait jamais me voir entrer ou sortir de là et je devais tout faire pour que mes visites à la Household Finance soient ignorées de tous. Toujours.

Ce n'était pas une mince entreprise, parce qu'en tant que livreur de barbecue, j'étais très connu dans le quartier; tous les vendeurs, toutes les vendeuses de la rue Mont-Royal, surtout mes clients, m'appelaient Ty-Coq et m'envoyaient la main quand je passais devant leur boutique. Alors comment passer inaperçu?

C'est toujours le milieu de l'après-midi, moment où les trottoirs de la rue Mont-Royal sont à peu près déserts. Maman me donne deux dollars cinquante, me fait ses mêmes maudites recommandations que je connais par cœur, me pousse dans le dos parce que je n'ai pas envie d'y aller. Je descends l'escalier du 4505 de la rue Cartier, emprunte la rue Mont-Royal sur une centaine de pieds en vérifiant bien si les vendeurs et les vendeuses des boutiques sont occupés à regarder ailleurs que dans la rue. Si on me salue, si on m'envoie la main, je dois faire semblant de magasiner, ce sont les ordres que j'ai reçus. Par chance, juste à côté des bureaux de la compagnie de finance, se trouve une toute petite librairie. On y vend surtout des livres pratiques qui ne m'intéressent aucunement, mais c'est un alibi qui n'est pas à dédaigner : tout le monde sait que j'aime lire, alors personne ne remarque que je reste un peu trop longtemps le nez collé à la vitrine, à lire les titres de livres sur la pêche à la ligne ou la manière de construire des cabanes à moineaux. Quand mon haleine fait trop de buée sur la vitre, en hiver, je bouge de quelques pouces pour recommencer plus loin alors que j'ai eu le temps depuis longtemps de faire le tour de la vitrine au complet. Il faut que j'attende que *personne* ne soit en vue sur la rue Mont-Royal entre Cartier et Papineau et que *tous* les vendeurs des boutiques situées en face soient occupés à servir quelqu'un ou à replacer leur marchandise avant d'agir... L'attente est parfois exigeante pour mes nerfs. Je dois avoir l'air d'un voleur qui prépare un mauvais coup : tout en faisant semblant de m'intéresser à ce qu'il y a dans les vitrines, je tourne sans arrêt la tête pour voir si quelqu'un vient. Si j'ai eu le temps de faire le tour des deux vitrines avant que l'occasion se présente de pouvoir grimper l'escalier intérieur de bois qui mène à la Household Finance, je recommence le même manège au Woolworth. Mais c'est plutôt gênant pour un adolescent de rester pendant cinq minutes devant un déshabillé de nylon transparent ou un étalage de soutiens-gorge en coton... Voleur et vicieux ! Quand je suis *absolument* sûr de mon coup, je baisse la tête et je fonce... Tout doit se faire à une rapidité folle. Ne surtout pas laisser à qui que ce soit le temps de tourner le coin de la rue ou de lever la tête vers moi...

Ce jour-là, cependant, à cause de l'humidité et de la chaleur, la rue Mont-Royal était vide et je pus monter au bureau de la compagnie de finance assez rapidement. Les habitants du Plateau Mont-Royal avaient autre chose à faire que de se promener sur l'asphalte rendu collant et les trottoirs surchauffés.

Toujours la même madame blonde derrière son comptoir. (C'était *quelqu'un,* elle aussi, non ? Elle pouvait tout répéter, nous dénoncer à n'importe qui ! Mais peut-être était-elle sous serment...) Toujours le même air méprisant pour la plèbe qui vient porter son deux piasses et demie hebdomadaire. Ouvre le petit carnet, fait la soustraction, étampe, referme le petit carnet. Salut, à la semaine prochaine, le pauvre ! J'avais souvent envie de lui demander combien elle était payée pour me mépriser autant, mais je me retenais parce que je ne devais sous aucun prétexte attirer l'attention sur moi.

Mais, en me retournant pour redescendre le vieil escalier, catastrophe et abomination ! Madame Pilozzi, notre propriétaire ! Moment de terreur de mon côté, de gêne du sien. Regard de reconnaissance entre pauvres qui profitent des mêmes expédients pour survivre. Et mon père qui disait toujours que les Pilozzi devaient être riches avec les quatre-vingts piasses par mois que nous leur donnions pour notre logement ! Une trop grosse hypothèque, peut-être, ou alors la folie des grandeurs comme ma mère... Jamais plus, après cet incident, je ne pourrais croiser madame Pilozzi dans l'escalier intérieur de la maison de la rue Cartier sans penser à ce moment d'horreur qui nous avait rapprochés. Petite valse-hésitation, après vous, non, non, vas-y le premier, petit salut de tête, le cœur qui bat trop vite, l'escalier dix fois plus long que d'habitude, la rue Mont-Royal trop étouffante... Mon Dieu, j'avais oublié de baisser la tête avant de sortir, quelqu'un m'avait peut-être vu ! Une *deuxième* personne connaissait peut-être notre secret !

*

« C'tait ben long !

— Ça a pris du temps avant que je puisse entrer...

— Personne t'as vu ?

— Personne m'a vu entrer, non...

— T'es sûr ?

— Moman, j't'ai dit que personne m'avait vu entrer ! »

(Vite, changer de sujet de conversation...)

« As-tu commencé le livre ?

— Oui. J'vois pas pourquoi tu me disais que j'aimerais pas ça... J'aime ça, ces histoires de guerre là, moi ! J'te dis qu'y'en a de l'action dans une seule page ! Aïe, pis y'a un personnage qui est un Canadien français, en plus ! Tu me le prêteras avant d'aller le reporter à la bibliothèque...

— Okay... Mais va falloir que tu le lises à soir, parce qu'y faut que j'aille le porter demain.

— Mon Dieu, quand même que tu me laisserais une journée pour le lire, tu mourras pas !

— Faut absolument que j'aille porter les livres demain, moman, j'ai pus rien à lire !

— Y'a pus rıen à lire ! La maison est pleine de livres...

— J'les ai toutes lus...

— Michel, tu viendras pas me dire que t'as lu *tous* les livres qu'y'a dans'maison !

— C'est mes livres quand j'étais enfant, j'les connais par cœur !

— J'te vois écornifler dans les livres de ton frère... T'es as pas toutes lus, ceux-là !

— Non, tu veux pas que j'les lise, tu dis que c'est toutes des histoires de femmes trompées, d'amants pis de maîtresses, pis que c'est trop vieux pour moé... Me donnes-tu la permission de les lire, là ? Parce que si tu me donnes la permission de les lire, j'aurai même pus besoin de jamais retourner à la Bibliothèque municipale !

— Aïe, viens pas m'astiner après-midi, j'ai pas ça dans le goût ! J'ai dit que tu pourrais toucher à ces livres-là quand t'aurais seize ans, pis tu vas attendre d'avoir seize ans ! Pis tu vas me laisser le temps de lire le Captain Johns ! Tu liras les derrières de boîtes de Corn Flakes, c'est toute ! Quand même tu passerais une demi-journée sans lire, mon Dieu, franchement ! Quand tu seras rendu aveugle, mon p'tit gars, tu verras ben que j'avais raison, mais y sera trop tard ! En attendant, pendant que tu vois encore clair, aide-moi à sortir de là, y faut que j'aille préparer le souper... C'est ben beau, la lecture, mais j'ai quatre éléphants à nourrir, moi... Quand on est la gardienne d'un zoo, faut accepter les tracas qui viennent avec ! »

Elle sortit de la chambre le sourire aux lèvres, heureuse de sa dernière diatribe, admirable dans sa conviction d'être la reine incontestable du monologue bien construit et de l'insulte drôle et bien placée. Moi aussi je souriais. En quelques phrases, elle avait brossé un tableau assez précis de ce qu'elle pensait de moi, elle savait pertinemment que j'avais apprécié sa performance et compris son message — « Tu touches à un seul livre de la bibliothèque de ton frère, pis t'es pas mieux que mort ! » —, et elle se dirigeait, royale, vers son poêle et ses chaudrons.

Je me replongeai avec délice dans le roman du Captain W. E. Johns.

J'en avais déjà lu une bonne centaine, je les dévorais comme je dévorerai plus tard les Agatha Christie ou les Maurice Leblanc, d'une seule traite, vautré dans le ventre de la grosse bête rouge vin dont la cuirette était chaude en hiver, fraîche en été, complètement coupé du reste du monde, immergé jusqu'à m'y noyer dans les aventures de Worrals, de Biggles, de King.

J'ai passé des années dans ce fauteuil d'une redoutable laideur à vivre mes lectures avec une passion, une conviction, une concentration qui me rendaient parfois malade ; j'y ai perdu la guerre de Troie par choix parce que je n'ai jamais beaucoup aimé les Grecs et leur insoutenable prétention — les Atrides me fascinaient mais je ne les *aimais* pas, alors je prenais parti pour les Troyens, plus civilisés, plus cultivés, pour la courageuse Hécube contre l'hystérique Clytemnestre, pour le sage Priam contre l'arrogant Agamemnon, pour l'amour de l'art contre l'amour de la guerre ; j'y ai volé au-dessus de Londres en compagnie de Wendy Darling même si j'étais trop vieux, parce que je revenais régulièrement à

Peter Pan, surtout quand j'ai commencé à sérieusement refuser de devenir un adulte (un homme, en fait); j'y ai essayé de découvrir mes premiers coupables de romans policiers, mais la divine Agatha était toujours plus machiavélique que moi et me laissait immanquablement pantois d'admiration; j'y ai détesté Maigret, ses énervantes grippes et ses maudites pipes refroidies tout en adorant les romans — si humains — dans lesquels il évoluait; j'y ai lu mon dernier Jules Verne, mon premier Saint-Exupéry, mon dernier Féval, mon premier Dostoïevski, mon dernier Trilby, mon premier Beauvoir, mon dernier baronne Orszy, mon premier Baudelaire, mon dernier «Signe de piste», mon premier Nrf. J'y ai mis un terme à mon enfance avec Rimbaud et entamé mon âge adulte avec *Le Portrait de Dorian Gray* d'Oscar Wilde.

Maman disait que je grandissais étendu dans un La-Z-Boy et qu'un bon jour je me réveillerais avec une peau en cuirette rouge vin et des plaies de lit inguérissables. Mais j'en sortis, devenu adulte à travers des lectures souvent trop sérieuses pour mon âge, avec la peau plus pâle et plus sensible que jamais et des plaies inguérissables à l'âme.

Je me replongeai donc avec ravissement dans les aventures du capitaine Lorrington King, dit *Gimlet,* du célèbre Commando des *King's Kitten,* tout en triturant avec la main gauche un trou de cigarette qu'un de mes deux frères, probablement Jacques qui y passait plus de temps que Bernard, avait pratiqué par mégarde sur un des appuie-bras. Je me souviens très bien de ce trou que je ne pouvais pas m'empêcher de toucher, de frotter, de gratter selon l'état d'excitation dans lequel me mettait ma lecture ; si l'affreux nazi von Zoyton — *le* méchant des romans du Captain Johns qui revenait d'un livre à l'autre en poursuivant tous les héros de cet auteur, King autant que Worrals ou Biggles — si le méchant von Zoyton, donc, faisait souffrir quelqu'un d'une façon particulièrement vicieuse ou sortait l'une de ces répliques à l'emporte-pièce qui me faisaient tant frémir : « Fous zallez fous rappeler de von Zoyton pour le reste de fos chours ! », le trou de cigarette en prenait un sérieux coup et des bouts de cuirette rouge vin étaient étirés, roulés, pincés, puis coupés entre l'ongle du pouce et de l'index. Quand je lisais de la poésie ou des romans psychologiques, le trou restait à peu près intact ; mais si je me lançais dans un roman d'aventures, comme c'était le cas ce jour-là, ou un roman policier, le trou s'agrandissait sensiblement, et j'entendais déjà ma mère crier à la cantonade en s'installant dans le La-Z-Boy :

« Si le creuseur de cuir arrête pas d'agrandir ce trou-là, y va se retrouver avec une main gauche en moins ! »

Je crois bien avoir lu *tous* les livres du Captain Johns entre l'âge de douze et quatorze ans, du moins tous ceux que possédait la Bibliothèque municipale. Je les dévorais en quelques heures, excité, fiévreux, faisant fi des invraisemblances, des hasards douteux, des fins parfois bâclées ; je poursuivais les nazis assis à côté de Biggles, l'as des pilotes de l'aviation britannique, j'admirais le flegme de King que rien ne semblait émouvoir ou même déranger le moindrement, je me régalais de l'humour de Worrals, la KWAC courageuse et inventive dont l'assistante, la bien nommée Freckles parce qu'elle était couverte de taches de rousseur, était peut-être amoureuse. À mon grand étonnement, d'ailleurs.

Worrals et Freckles sont les deux premiers personnages de littérature qui m'ont fait soupçonner l'existence du lesbianisme. J'avais déjà accepté, compris, nommé mes propres tendances, je scrutais chacun des livres que je lisais à la recherche de personnages qui partageaient mes goûts sans jamais en trouver, bien sûr, parce que la littérature pour la jeunesse en était complètement démunie, et au moment où je commençais à me demander si la même chose existait chez les femmes s'étaient présentées Worrals et Freckles, probablement pas lesbiennes du tout, mais dont la tendresse mutuelle, le métier plutôt étonnant — elles étaient, elles aussi, pilotes d'avion —, l'humour un peu viril et les incessantes victoires sur le méchant von Zoyton me faisaient penser qu'elles n'étaient pas des femmes ordinaires et que, peut-être, chez l'autre sexe aussi...

J'analysais chaque phrase des romans qui les mettaient en scène, chaque réplique qu'elles se disaient, surtout les farces qu'elles faisaient, à la recherche du moindre petit indice ; je finissais bien sûr par en trouver à force de gymnastique intellectuelle et de suppositions hasardeuses et, je l'avoue, j'étais un peu jaloux d'elles. J'essayais d'imaginer ce qui se produisait *après* que le roman était fini — encore mon syndrome *Blanche-Neige* —, ce qu'elles pouvaient se dire ou faire l'aventure terminée, von Zoyton battu, l'avion rangé dans son garage ; mon plexus solaire devenait tout chaud, mais ma main ne quittait pas encore le trou dans la cuirette rouge vin...

Ce qui est étonnant, c'est que je ne retrouvais pas le même contenu tendancieux dans les romans sur Biggles ou King. Alors, avec le temps, j'avais un peu abandonné Worrals, rendue trop facile à dévier de sa trajectoire hétérosexuelle, pour *introduire* dans les autres romans du Captain Johns ce que je n'arrivais pas à y trouver. J'y ajoutai moi-même un contenu homo-érotique et ma vision de ce monde d'hommes en guerre, mais qui ne risquaient rien parce qu'ils étaient des héros de romans et que nous savions d'avance qu'ils allaient sortir vainqueurs de toutes leurs aventures, changea du tout au tout. Avec Worrals, c'était la curiosité qui l'avait emporté ; avec les personnages masculins, ce fut tout mon être qui participa, et dans un abandon que je ne me connaissais pas encore.

L'entourage de King, surtout, en fut victime.

Comme King avait trois assistants et que le plus jeune était un trappeur canadien-français dont le nom, en plus, ressemblait au mien — il s'appelait « Trapper » *Troublay,* c'était plutôt commode —, il me fut très facile de m'identifier à ce personnage et je pus en toute sécurité, caché à l'intérieur de Trapper Troublay, tomber amoureux de mon chef si bon, si généreux, si courageux. Surtout que le trappeur en question était le plus discret des *King's Kittens,* qu'il ne parlait que par monosyllabes et toujours pour se déclarer absolument d'accord avec ce que disait ou faisait King. J'évoluais donc autour de mon idole en tant qu'utile mais discret assistant et pouvais l'aimer en toute impunité parce que je savais que jamais il ne serait conscient de mes sentiments. En plus, il me délivrait quand j'étais prisonnier, me remerciait, quand c'était moi qui lui sauvais la vie, avec une certaine effusion malgré la grande froideur qui l'habitait habituellement, me confiait des tâches délicates et difficiles, me distribuait des tapes dans le dos et de sincères compliments ; que demander de plus à son héros ? À son éros ?

Quand King s'adressait à Trapper Troublay pour lui donner des ordres ou juste pour lui faire la conversation, quand il daignait, en fait, reconnaître son existence, je glissais furtivement la main dans mon pantalon, et mon imagination, elle aussi gonflée à bloc, débordait vite des cadres du livre d'aventures de guerre... Quand j'étais délivré par mon chef ou que je le retirais moi-même des griffes de von Zoyton, ce qui, à ma grande joie, arriva à quelques reprises, je fermais les yeux, je laissais mon imagination débridée m'emporter où elle le voulait, les remerciements que me faisait King se transformaient vite en gestes passionnés et précis, je me tournais sur le côté, j'éjaculais dans mon sous-vêtement en fermant les yeux. Que j'étais heureux ! J'avais enfin dépassé la période où le judéo-christianisme de ma petite enfance me confondait de culpabilité après mes masturbations ; je les assumais pleinement désormais, surtout lorsqu'elles avaient King pour objet et Troublay pour alibi...

Aucun des romans de la collection « Signe de piste », pourtant reconnus, surtout à cause de leurs illustrations très tendancieuses, comme des œuvres à contenu homo-érotique types, ne m'a jamais transporté sexuellement autant que les livres du Captain Johns décrivant les aventures des *King's Kittens*.

J'ai gardé une place toute spéciale pour Trapper Troublay dans mes souvenirs de lectures d'adolescence, surtout que ma séparation d'avec lui fut des plus brusques, des plus violentes, même.

Une deuxième surprise — après ma rencontre avec madame Pilozzi chez Household Finance — m'attendait en cet après-midi du mois d'août, un choc assez violent, en fait, et si je m'étais le moindrement douté de ce qui se préparait, j'aurais laissé ma mère terminer ce livre sans le reprendre. Une des grandes aventures amoureuses de ma vie allait se terminer dans la déception et la rancœur. Pour la première et la dernière fois de mon existence, j'en voudrais à mort à un auteur de romans.

Je recommençai le chapitre que j'avais abandonné plus tôt, retrouvai avec plaisir King et ses trois assistants, Copper Collson, Nigel Peters, dit Cub, et mon favori, Trapper Troublay. Tout allait bien, quelqu'un, probablement Troublay, était prisonnier, von Zoyton se montrait plus sadique que jamais, King arrivait dans son costume défraîchi de pilote d'avion, revolver au poing et, dans mon imagination fertile, trempé de sueur... Il sentait peut-être un peu fort, mais c'était l'odeur de la délivrance... et de joies indescriptibles à venir.

J'étais parti pour une fin d'après-midi des plus délicieuses.

Mais un petit bout de phrase me sauta à la figure. Tout s'arrêta, ma main gauche de triturer la cuirette rouge, mon pied de battre sa propre mesure à cause de ma grande nervosité, mon esprit de fonctionner, mon cœur de battre...

Au moment où King entrait dans la pièce pour délivrer Trapper Troublay, il était fait mention de sa *moustache*.

Sa moustache !

King n'avait jamais porté de moustache ! Je relus le bout de phrase plusieurs fois, incrédule. C'était bien là, en toutes lettres, King était bel et bien affublé d'une moustache.

Je reposai le livre.

J'étais amoureux depuis des mois de quelqu'un dont j'ignorais qu'il portait la moustache !

Si je ne m'étais pas retenu, j'aurais tout de suite couru à la Bibliothèque municipale feuilleter les King que j'avais lus, à la recherche de la maudite moustache du capitaine des *King's Kittens*. Mais j'étais convaincu, *absolument convaincu,* que mon héros préféré n'avait jamais porté la moustache ! Le Captain Johns ne pouvait pas me faire ça ! Je repris le livre, relus encore une fois le passage, essayai d'imaginer mon King à moi avec une barre noire en dessous du nez...

Non ! Impossible !

Trahison !

Je lançai le livre contre la porte de la chambre. Il tournoya en faisant un bruit d'ailes, s'écrasa sur le plancher comme un oiseau atteint par une balle de carabine.

Je croisai les bras, repliai les jambes, m'enfonçai dans le La-Z-Boy, un trou dans l'estomac et le cœur en compote.

Ce n'était pas tant la perte de King lui-même qui me mettait dans cet état, je crois — après tout il n'avait jamais été que l'objet de mon trop-plein d'énergie sexuelle —, mais le fait de savoir que ce grand besoin d'effusion physique, justement, n'avait désormais plus d'objet.

King parti de ma vie, sur qui allais-je lancer mon dévolu? Étais-je condamné à rester tout seul dans ma pièce double du Plateau Mont-Royal, effouerré dans le fauteuil de ma mère à la recherche d'un héros de roman glabre digne de mon affection? Je me voyais feuilletant des romans à l'affût d'un héros à admirer, à aimer, et le ridicule de la chose me faisait sangloter à gros hoquets. Qui allais-je pouvoir aimer? L'amour ne se commande pas!

La cuirette rouge était imbibée de larmes et de bave, la manche mouillée de mon T-shirt me collait à la peau, j'avais envie de faire pipi, mais je n'osais pas sortir de la pièce de peur de tomber sur maman.

Je m'extirpai tant bien que mal du La-Z-Boy après m'être essuyé les yeux, repris le livre, le rouvris à la page où King venait délivrer Trapper Troublay des griffes de l'odieux von Zoyton... Et si je faisais l'effort d'oublier le petit bout de phrase qui venait de péter ma balloune, si je faisais comme si elle n'avait jamais été pensée, écrite, imprimée?

Rien n'y fit. Ce qui était lu était lu, je ne pouvais rien y changer. On ne peut tout de même pas demander à un héros de roman d'aventures d'aller raser sa moustache.

Alors je me retournai contre l'auteur.

Quel mauvais écrivain! Quel imbécile! Écrire des tas de livres au sujet d'un même héros sans jamais faire mention qu'il porte la moustache ! Démolir d'un seul petit bout de phrase l'image que ses lecteurs s'étaient faite de son héros depuis les tout débuts de ses aventures ! Quel niaiseux ! Il ne se relisait jamais ? Il ne faisait pas de plan, ne travaillait pas ses structures, ne gardait pas de descriptions détaillées de ses personnages qui revenaient d'un livre à l'autre et qui, donc, devaient toujours se ressembler, avoir les mêmes traits physiques et psychologiques ? Il ne se préoccupait pas de ses lecteurs et écrivait des romans d'aventures en série juste pour gagner sa vie ? Pour faire de l'argent ?

Jamais plus je ne lirais de ses livres !

Ma peine était vraiment très grande, j'avais passé des moments tellement délicieux au-dessus de la Manche ou de l'Afrique du Nord à lancer des bombes sur les armées allemandes ou à poursuivre des avions plus légers, plus perfectionnés que le mien mais que je réussissais tout de même à anéantir à cause de ma grande intelligence et de ma forme physique et intellectuelle inébranlable... Sans compter les heures passées dans les bras du capitaine des *King's Kitten*. J'avais été le chaton favori de mon chef, comment pourrais-je survivre autrement ?

Je n'étais donc pas du tout convaincu de pouvoir me passer complètement du Captain W. E. Johns, alors je décidai de ne conspuer que les King, pour le moment, et de me concentrer désormais sur Biggles et Worrals, qui eux ne risquaient pas de me décevoir...

*

«Tu l'as fini?

— Ouan.

— C'tait bon?

— Ouan.

— Mon Dieu, développe un peu! T'as l'habitude de mieux parler que ça des livres que tu lis...

— Ouan.

— Michel, j'te parle!

— Ben oui, j'le sais!

— Si tu me parles pas sur un autre ton, j'te donne une claque derrière la tête!

— J'veux pas te dire comment ça finit, c'est toute.

— Ça finit-tu bien?»

Je regarde ma mère un long moment. J'espère qu'elle ne voit pas les rigoles sous mes yeux et ma chemise trempée. Mais, je l'ai déjà dit, elle voit toujours tout.

«Sais-tu, je le sais pas si ça finit bien...»

PATIRA

Raoul de Navery

«T'as déjà fini?

— Ça prend pas une éternité pour lire des livres comme ceux-là, moman...

— T'en avais quand même trois à lire.

— Une journée chaque, c'tait assez.

— C'tu assez beau, hein?

— Ah, oui...

— T'as pas l'air sûr...

— Ah, c'est ben beau. Ben ben beau, mais...

— Y'a pas de mais! C'est ben beau, point! Moi, en tout cas, j'ai toute aimé! Ça fait que tu viendras pas critiquer ces livres-là devant moi, hein?

— J'ai pas critiqué, moman, j'ai rien dit!

— T'as encore rien dit mais j'te vois venir!

— Moman! J't'ai dit que j'avais trouvé ça beau! Mais y'a des affaires que j'ai pas compris...

— Ah! bon... Si c'est juste ça... Que c'est que t'as pas compris, donc? C'est facile à comprendre pourtant.

— L'histoire est facile à suivre, oui, mais... Comment ça se fait, donc, que dans les romans français y'a toujours des enfants abandonnés?

— Pourquoi tu demandes ça? Y'en a-tu tant que ça?

— Y me semble, oui... Dans *L'Auberge de l'Ange-Gardien,* les deux enfants sont abandonnés, dans *Sans famille,* le petit Rémi est abandonné, dans les contes de fées, ça arrive souvent... Pis là, dans *Patira*...

— Le pauvre p'tit Patira, y fait tellement pitié...

— J'dis pas qu'y fait pas pitié mais... les Français, y'abandonnent-tu leurs enfants facilement comme ça? À lire leurs livres, on dirait que toutes les routes de France sont pleines d'enfants abandonnés qui crèvent de faim pis qui sont sales comme des cochons!

— C'est des livres, Michel.

— Ben oui, je le sais que c'est des livres, mais j'trouve que ça revient pas mal souvent...

— C'est des livres qui se passent dans le passé... Peut-être que dans le passé, je le sais pas, moi, le monde abandonnaient plus leurs enfants qu'à c't'heure, en France, parce qu'y pouvaient pas les faire vivre...

— Ben oui, mais ici aussi y'en a, des pauvres, pis on trouve pas d'enfants abandonnés à tous les coins de rue! On abandonne pas des enfants comme ça, voyons donc! Voir si ça se peut! Y se faisaient pas arrêter, c'te monde-là?

— Écoute, y'a des livres oùsque des mères laissent des bebés naissants sur le parvis des églises... Y peuvent pas se faire pogner, c'te monde-là. Tu peux pas demander à un bebé naissant de se rappeler de son père pis de sa mère! Surtout quand sa mère est une fille-mère qui l'a sacré là le lendemain de sa naissance...

— J'comprends pas comment tu peux les défendre...

— J'les défends pas, j'trouve ça aussi effrayant que toi, mais qu'est-ce que tu veux que j'te dise ? J'essaye de trouver une explication ! Tu m'as posé une question, j'essaye de te trouver une réponse ! Peut-être qu'y'a des enfants abandonnés dans les romans parce que c'est intéressant comme commencement d'histoire ! On veut savoir d'oùsqu'y viennent, pourquoi leurs parents voulaient pas d'eux autres... Le petit Patira, là, quand y'est abandonné par les saltimbanques qui l'avaient élevé sans savoir d'oùsqu'y venait, tu veux le savoir d'oùsqu'y vient ! Pis je le sais-tu, moi, tu parles d'une question !

— Si t'avais été pauvre, toi, tu m'aurais jamais abandonné sur le parvis d'une église !

— J'étais pauvre, mon p'tit gars, crois-moi !

— Tu vois...

— J'ai peut-être juste manqué de courage !

— Moman !

— C't'une farce, voyons donc ! J't'aurais jamais abandonné, j't'avais trop voulu ! Avoir su, par exemple...

— T'es donc drôle !

— En tout cas, ici pis la France, c'est pas pareil.

— C'est ça que je voulais savoir !

— Fais-moi pas dire des choses que j'ai pas dit, là !

— Tu viens de le dire qu'en France c'est pas comme ici !

— J'ai pas voulu dire que les Français abandonnent tout le temps leurs enfants sur les parvis des églises, là, va pas répéter ça, j'te connais, tu peux aller bavasser ça partout pis j'vas passer pour une sans-cœur! Les Français font peut-être ça juste dans les livres!

— Les livres, c'est pas supposé de ressembler à ce qui se passe pour vrai?

— Tu joues avec ma patience, Michel...

— J'joue pas avec ta patience, j'te pose une question!

— Que c'est que tu veux que j'te réponde? Chus pas une spécialiste de la littérature, moi! J'me contente de lire des livres, de suivre l'histoire qu'on me conte, de brailler quand c'est triste pis de rire quand c'est drôle... J'me pose pas des questions jusqu'à demain à chaque fois que je finis une phrase! J'finirais jamais un seul livre! J'sais quand une histoire est à mon goût ou non, pis j'lis le livre ou non, c'est toute! J'm'en sacre si les Français abandonnent leurs enfants ou pas si l'histoire de Patira me fait pleurer! Pis j'ai tellement pleuré en lisant *Patira* que j'pensais d'avoir perdu dix livres quand j'ai eu fini, ça fait que j'étais très contente!

— Tu pleures tout le temps en lisant, de toute façon.

— J'aime les livres tristes.

— T'étais servie, là!

— J'comprends! Quand la pauvre Blanche de Couette-Couenne...

— Coëtquen, moman.

— C'est ça que j'ai dit.

— T'as dit Couette-Couenne...

162

— J'me sus t'habituée à le lire comme ça, c'tait plus facile à retenir. En tout cas, quand la pauvre Blanche a mis son enfant au monde dans les oubliettes du château parce que ses deux beaux-frères l'avaient enfermée là depuis six mois, les écœurants, pis que Patira est arrivé avec sa petite lime pour limer les gros barreaux pis que Blanche a passé son bebé par le soupirail pis que Patira a mis le bebé sur des joncs attachés ensemble qui faisaient comme un radeau...

— Ça a pas grande allure, toute c't'histoire-là, moman...

— Comment ça, ça a pas grande allure !

— Ben, enfermer une pauvre femme enceinte dans des oubliettes en plein hiver...

— Y'a pas de saisons pour les écœurants, Michel ! Y'étaient jaloux d'elle parce qu'y disaient qu'a l' avait usurpé son titre de marquise pis y voulaient s'en débarrasser à tout prix ! Y'étaient prêts à toute, pis y'ont toute faite !

— Moman ! Blanche de Coëtquen passe *tout* l'hiver enfermée dans des oubliettes tellement humides que l'eau coule sur les murs, a' dort sur une paillasse étendue sur une tablette de bois, a' mange juste du pain noir avec de l'eau, y'a des inondations au printemps, l'eau froide y monte jusqu'au menton, a'l' a pas de linge de rechange, a'l' a pas d'éclairage, a' met un enfant au monde couchée sur sa tablette sans docteur pour l'aider, a' lime les barreaux de sa prison avec une petite lime de rien, a' s'arrache les mains, a' saigne, a'l' a même pas de mercurochrome à mettre sur ses blessures, *pis a' meurt pas !*

— Comment ça, a' meurt pas! A' meurt à la fin du premier livre pis c'est tellement triste que je pensais de jamais pouvoir m'en remettre!

— Mais avant de mourir, 'est délivrée par une somnambule, a' retrouve son enfant *pendant* un feu qui est en train de les brûler, lui pis Jeanne la folle qui le gardait sans savoir qui c'était, 'est sauvée une deuxième fois par Patira... Pis a' meurt de sa belle mort en bénissant tout le monde après avoir embrassé son enfant! Franchement!

— Si t'as pas pleuré pendant c'te mort-là, mon p'tit gars, t'as pas de cœur!

— Ben c'est ça, j'dois pas avoir de cœur!

— Michel! Quand a' se rend compte juste avant de mourir que ses cheveux sont devenus tout blancs pendant qu'est-tait enfermée même si a'l' a juste *dix-huit ans*, j'ai pensé mourir moi aussi... dis-moi pas que ça t'a rien faite?

— J'trouvais que ça avait pas de bon sens. Dix-huit ans, pis les cheveux tout blancs! Voyons donc!

— Même si ça avait pas de bon sens, c'tait triste pareil!

— Ah! Tu vois, tu le dis toi-même que ça avait pas de bon sens!

— Ça aurait pas eu de bon sens dans la vie, Michel, mais ça avait du bon sens dans le livre! C'est ça qui compte! Toutes les folleries que tu lis, là, les aventures de Biggles, pis les romans de Jules Verne, pis les Tintin, pis les Scarlet Pimpernel, penses-tu que ça aurait du bon sens dans la vie? Hein? Non! Pis tu y crois!

— Jules Verne, c'est basé sur la science, tu sauras! Pas ça! Aïe! 'Est enfermée *dans* le château, c'est pas grand comme Montréal, un château, pis personne l'entend crier!

— 'Est de l'autre bord du château, à l'autre bout du terrain, au fin fond des douves, *dans les oubliettes*, c'est très bien expliqué, essaye pas!

— Pis y'a jamais personne qui va se promener par là!

— Ben non! C'est plein de trous d'eau pis de bouette pis de grenouilles pis de bebittes...

— Voyons donc! A'l' aurait juste à crier au secours un peu plus fort pis tout le monde l'entendrait!

— Le monde l'entendent quand a' crie, mais y pensent que c'est un fantôme! Tu sais pas lire? Y pensent que c'est le fantôme de la Dame de Couette-Couenne! Y'a une chanson là-dessus, dans le livre! En as-tu passé des boutes, 'coudonc?

— Ben non!

— Bon ben ça fait que quand y l'entendent se plaindre, y meurent de peur!

— Sont ben niaiseux, c'te monde-là!

— Bon, on va arrêter de discuter, j'vas me fâcher!

— Pis à part de ça, a' va pas aux toilettes, c'te femme là?

— Comment ça, a' va pas aux toilettes?

— Simon, son geôlier, y y'apporte une cruche d'eau par jour, a' fait quand même pas pipi là-dedans! Pis où est-ce qu'a' fait caca?

— Voyons donc, Michel! Sont quand même pas pour nous dire oùsque le monde font caca dans les livres!

— Tu t'es jamais demandé où c'est qu'a' faisait ça, elle, dans ses oubliettes?

— Ben non! Ça m'intéresse pas pantoute!

— Ça m'intéresse, moi!

— Dans tes livres de Jules Verne, là, y le disent-tu?

— Ben non, mais si y sont pognés dans une forêt d'Amazonie, on peut toujours le deviner. Mais *elle*, moman! A' passe tout un hiver dans une oubliette humide! 'Est quand même pas constipée pendant six mois! Pis si 'est pas constipée pis qu'a' fait ça dans le coin de sa prison, ça doit sentir mauvais quequ'chose de rare au bout de quequ'semaines, si Simon ramasse rien!

— Michel! J'te permettrai pas de rire d'un de mes livres favoris!

— J'm'en moque pas, moman! J'aurais voulu avoir c't'information-là, c'est toute!

— Ben pas moi! D'abord, ça m'est même jamais passé par l'idée que Blanche de Couette-Couenne pouvait seulement faire ça... Pis comment tu veux que l'auteur nous dise ça? «Elle s'accroupit dans un coin et fit ses besoins. Simon arriva ensuite avec une pelle et ramassa le tas»? C't'un roman, Michel, on n'a pas besoin de tout savoir ça! Quand t'as lu *Le Comte de Monte-Cristo*, l'année passée, Alexandre Dumas le disait-tu oùsque Edmond Dantès faisait ça?

— Ben non, c'est vrai...

— Tu vois, tu te l'es pas demandé ! Pis là t'es de mauvaise foi juste parce que c'est *Patira* pis que j'ai aimé ça !

— Chus pas de mauvaise foi, moman, c'est juste la première fois que j'me pose c'te question-là... De toute façon, toute c't'histoire de jalousie là de ses deux beaux-frères, là, j'y crois pas. Voyons donc !

— Pourquoi pas ?

— Y l'ont jamais acceptée parce que c'tait pas une vraie princesse, pis parce que c'est pas une vraie princesse, 'est pas digne de faire partie de leur famille, tu crois à ça, toi ?

— Ben certain !

— C'est quoi, une vraie princesse ?

— Comment ça, c'est quoi une vraie princesse ?

— Ben... qu'est-ce qui fait qu'une princesse est une vraie princesse ?

— Ben, c'est la fille d'un prince pis d'une princesse, c't'affaire ! Tu sais ça aussi ben que moi !

— Pis eux autres, ces parents-là, comment y savaient que y'étaient un prince pis une princesse ?

— C'tait la même chose pour eux autres, leurs parents étaient nobles !

— Ça veut dire quoi, leurs parents étaient nobles ?

— Michel, tu lis des romans français à l'année longue, tu dois ben savoir c'est quoi des nobles, fais-moi pas parler ! C'est du monde qui ont du sang bleu !

— Du sang bleu ?

— Ben oui !

— Quand y se coupent, ça sort bleu !

— Ben non ! C'est une façon de parler ! C'est une expression, leur sang est pas vraiment bleu... c'est du sang noble !

— J'comprends pas.

— Écoute... Chus pas une spécialiste de l'histoire de France, c'est plutôt l'histoire du Canada qu'y nous montraient, quand j'étais p'tite, en Saskatchewan...

— C'est encore comme ça ici aussi... Pis chus ben tanné de Louis Hébert pis de Marie Rollet !

— Ben ça a l'air que... Quand le premier roi de France est arrivé...

— Comment y'a fait pour savoir qu'y'était roi de France ?

— Écoute, c'est ça que j'essaye de t'expliquer ! Si j'me souviens bien c'tait un Louis. C'tait toutes des Louis, j'pense, les rois de France... Ça devait être Louis Un. Ou ben donc Louis Ier... En tout cas, le bon Dieu y serait apparu...

— Le bon Dieu y'est apparu !

— Ça a l'air.

— D'habitude, y'apparaît pas lui-même, y'en envoye d'autres... La Sainte Vierge ou ben donc des anges...

— Ben oui, mais là c'tait spécial, c'tait pour le roi de France ! Pis arrête de m'interrompre ! En tout cas, y y'a dit qu'y l'avait choisi pour qu'y devienne le roi de France pis qu'à partir de ce moment-là, pour être ben sûr qu'on les reconnaisse, lui pis ses descendants auraient du sang bleu !

— Mais tu m'as dit qu'y'était pas vraiment bleu !

— J'essaye de t'expliquer que c'est une expression !

— Ben oui, mais comment y font pour savoir si y'ont du sang bleu si y'est pas bleu !

— Y le savent parce qu'y se le transmettent ! De père en fils ! Comme... comme un nom ! Tu t'appelles Tremblay, toi, parce que ton père est un Tremblay ! Ben t'aurais du sang bleu si ton père avant toi avait eu du sang bleu ! Comprends-tu, là ?

— Ça fait que Blanche de Coëtquen, quand a's'appelait encore Blanche Halgan, a'l'avait pas de sang bleu parce que son père était capitaine de bateau plutôt que roi...

— C'est ça. Pis comme c'est mal vu pour les nobles de se marier avec quelqu'un qui est pas noble, les deux frères de Tanguy de Couette-Couenne le prennent pas que leur frère aye marié une fille de capitaine de bateau plutôt qu'une fille plus importante !

— Mais en le mariant, son sang à elle devenait-tu bleu ?

— Ben non, c'est ça, l'affaire ! C'est pas le mari qui donne le sang bleu, c'est le père !

— Pis leurs enfants ? Y'auraient du sang moitié-moitié ? C'est ben niaiseux, c't'affaire-là...

— Michel, c'est pas niaiseux, ça vient du bon Dieu !

— Écoute! J'aurais juste à dire, moi, que le bon Dieu m'est apparu pour me dire qu'y me consacrait roi du Canada pis mon sang deviendrait bleu?

— Fais-toi-s'en pas, si tu disais ça, personne te croirait!

— C'est justement! Pourquoi y l'ont cru, lui?

— Parce que lui, c'tait vrai!

— Ça pourrait être vrai pour moi aussi!

— Chus ta mère, Michel, je le saurais que c'est pas vrai!

— Y devait ben avoir une mère, lui aussi! Elle a'l' l'a cru, pis toé tu me croirais pas!

— Lui, y'avait peut-être sauvé son pays des voleurs pis des bandits, toi t'as rien sauvé pantoute!

— Donne-moi le temps!

— Michel, arrête de me faire marcher!

— Ben oui, mais tu crois toute c'qu'on te dit dans les livres!

— Ben laisse-moi te dire que c'est ben plus intéressant que de discuter avec toi! Depuis que t'es au monde que tu poses des questions, on vient qu'on sait pus quoi inventer!

— Ah ah! Tu le dis, là, que t'en inventes des boutes!

— Si je mettais bout à bout toutes les réponses que j'ai inventées depuis ta naissance, mon p'tit gars, j's'rais peut-être une grande romancière, aujourd'hui! Pis j'f'rais une fortune! Pis laisse-moi te dire qu'on resterait pas enfermés sur la rue Cartier en face du couvent Mont-Royal!

— Justement, tiens, les filles qui vont au couvent Mont-Royal, moman, c'est des filles riches, hein?

— Ben oui! On a rien qu'à voir les chars qui viennent les mener le dimanche au soir!

— Y'ont-tu du sang bleu?

— Ben non! Y'a personne qui a du sang bleu en Amérique, Michel. Juste en Europe.

— Pourquoi?

— Je le sais-tu, moi... Peut-être parce que y'existent depuis plus longtemps que nous autres... Si on avait été là avant, peut-être qu'on en aurait, nous autres aussi, des sangs-bleus! J'suppose qu'on est pas assez vieux pour ça...

— Toi, tes grands-parents, y'étaient *Cree*...

— Ben oui.

— Pis ça faisait longtemps qu'y'étaient installés ici quand les Européens sont arrivés...

— J'comprends...

— Comment ça se fait d'abord le bon Dieu leur a jamais apparu pour leur dire qu'y'avaient du sang bleu? Y'a apparu rien qu'en Europe? J'trouve que c'est pas juste, moé! Y devait ben exister un *Cree* quequ'part qui méritait d'être le roi des *Cree* pis d'être consacré noble comme ceux de l'autre bord!

— C'est vrai, au fond, que c'est pas juste. T'as bien raison. Mais que c'est que tu veux, ça vient du bon Dieu... pis les *Cree* connaissaient pas le bon Dieu...

— C'est eux autres qui disent ça, les Européens, que ça vient du bon Dieu ! On est-tu obligés de les croire ? Le bon Dieu est-tu venu te dire que c'était vrai, qu'y'avait apparu à chaque premier roi de tous les pays d'Europe pour y dire qu'y'avait du sang bleu ?

— Ben oui, mais ça fait tellement longtemps que c'est arrivé qu'y doivent ben avoir des preuves, depuis le temps !

— On les a jamais vues, ces preuves-là !

— Es-tu en train de me dire que le premier, là, Louis Un, là, y'aurait tout inventé ça pour devenir le roi de France, pis que tous ceux qui l'ont cru étaient des niaiseux ? Jusqu'à la Révolution française ?

— Je sais pas...

— Que tous les Louis, du premier jusqu'à... Combien y'en a eu, donc ? En tout cas, qu'y'étaient toutes des menteurs ? T'es ben Thomas ! De toute façon, y'en a pus, de rois, en France, depuis leur fameuse révolution, justement. Ça règle la question.

— Mais y'a des nobles.

— Tant qu'à ça...

— Pis y'a plein de sangs-bleus...

— Pas plein mais y'en reste.

— Pis y'a une reine en Belgique. Pis y'a une belle reine neuve en Angleterre.

— Ben oui, ma belle princesse Elizabeth que j'aime tant qui est rendue reine! Si jeune! Pis sa sœur, la princesse Margaret Rose, est-tu belle, la vlimeuse! Viens pas parler contre eux autres, j'les aime trop! Y'ont beau avoir du sang bleu, sont pas snobs pour deux cennes, ces deux-là! Y méritent d'être nobles, c'est moi qui te le dis!

— Essaye pas de changer la conversation, moman, je le sais que tu les aimes, la famille royale anglaise, t'arrêtes jamais de parler d'eux autres comme si tu les fréquentais tou'es jours! Mais le premier roi d'Angleterre, moman, le bon Dieu y'a-tu apparu à lui aussi?

— Ça doit.

— Pis y y'a dit la même chose qu'à l'autre?

— J'suppose, oui.

— En anglais!

— Si y'avait parlé en français à l'autre, y'a ben dû parler en anglais à celui-là...

— Pis son sang est devenu bleu!

— Ah! arrête avec le sang bleu, là, on dirait que tu parles d'une maladie! C'est pas une maladie, Michel, c'est un cadeau du ciel, une bénédiction! Si le bon Dieu leur a donné ça, c'est sûrement parce qu'y l'avaient mérité! En anglais ou en français! Pis en espagnol pour le roi d'Espagne! Pis en italien pour le roi d'Italie! 'Coudonc, y'a-tu un roi, en Italie?

— Y crois-tu vraiment à tout ça?

— Ben, j'commence à me poser des questions, là, sais-tu... J'avais jamais pensé à ça de cette façon-là... Tant qu'à ça, y devait ben avoir un *Cree* qui méritait ça lui aussi...

— Donc, si on remonte jusqu'au premier roi de France, la noblesse, ça se mérite !

— Ben oui !

— Comme ça, Blanche de Coëtquen aurait mérité d'avoir du sang bleu quand a' l' a marié Tanguy même si est-tait pas venue au monde avec comme lui...

— Ben certain !

— Pis ses deux beaux-frères, Florent pis Gaël, étaient des écœurants qui méritaient pas de vivre parce qu'y faisaient souffrir leur pauvre belle-sœur !

— Ah oui !...

— Sang bleu ou non...

— Certain, pis j'te dis que j'étais contente quand y'ont payé pour leurs crimes ! J'ai embrassé le livre, je l'ai serré contre mon cœur...

— Comme ça, peut-être que la Révolution française, c'était bon, après tout !

— Ben certain que c'était bon, j'ai jamais dit le contraire ! Le pauvre monde crevait de faim pendant que les nobles, justement, se bourraient la face ! Marie-Antoinette se bourrait de pâtisseries viennoises pendant que le peuple criait comme un perdu aux portes de Versailles avec des pelles pis des faux ! On a toute vu ça dans le film avec Norma Shearer ! Mais pourquoi tu parles de la Révolution française, tout d'un coup ? Ça a rien à voir !

— Parce que Raoul de Navery dit le contraire dans *Le Trésor de l'abbaye*, la suite de *Patira*... C'est toé qui en as passé des bouts, là ! Y décrit les révolutionnaires comme des monstres sanguinaires, sont toutes bossus, pis laids, pis difformes, pis borgnes, pis boiteux, y puent pis y tuent les pauvres sangs-bleus... Tout ce qui les intéresse, c'est de prendre leur place...

— Michel, r'commence pas ! On a assez discuté, là, on réglera pas le cas de la Révolution française après-midi ! Quand on commence à discuter avec toi, on sait pas quand ça va finir ! Pis arrête de dire «moé» pis «toé», tu sais que j'haïs ça ! J't'ai appris à t'exprimer comme du monde, exprime-toi comme du monde ! En tout cas, la prochaine fois que je lirai un bon livre, j'te le dirai pas ! J'vas le garder pour moi, comme ça j'vas être sûre de pouvoir continuer à l'aimer ! »

BONHEUR D'OCCASION

Gabrielle Roy

L'excitation était grande dans la maison. Nous partions, ma mère, mon père, Jacques et moi, faire le tour de la Gaspésie. Un voyage d'une semaine minutieusement préparé par mon frère qui avait concocté un itinéraire détaillé pour que nous ne perdions pas de temps : nous coucherions le premier soir à Québec, le deuxième à Sainte-Luce-sur-Mer, le troisième à Paspébiac, le quatrième à Percé, etc.

Je venais d'avoir quatorze ans, j'étais affreusement boutonneux, d'une nervosité qui tapait sur les nerfs de tout le monde (maman : « Si t'arrêtes pas de grouiller de même, j'vas te faire opérer pour les glandes ! »), je passais mes journées enterré sous une pile de livres, j'évitais le soleil et presque la lumière du jour et, bien sûr, j'étais le seul à ne pas avoir envie de partir pour la Gaspésie.

« Ça va te faire du bien, le grand air !

— Y paraît que ça sent le yable !

— Ça sent pas le yable, ça sent le poisson séché !

— C'est pas mieux !

— C'est pas mieux mais c'est bon pour la santé ! Pis ça guérit peut-être de l'âge ingrat ! Pis j't'avertis, tu passeras pas deux heures dans les toilettes dans les motels oùsqu'on va coucher comme tu le fais ici ! Tu iras... « lire » au bord de la mer, ça va être romantique pis tu vas être moins blême ! »

Nous devions passer par Québec, faire un détour par Charlevoix, le berceau québécois des Tremblay, prendre ensuite le traversier pour la Gaspésie, mais rien de tout ça ne m'intéressait. J'avais adoré ma grand-mère Tremblay, mais je ne voyais pas l'intérêt de faire des centaines de milles pour aller voir sa maison natale. Son emplacement, en fait, parce que la maison n'existait plus depuis longtemps.

« Y paraît que c'est ben beau de voir les bateaux partir de La Malbaie...

— On peut aller les voir partir d'ici, y viennent jusqu'à Montréal !

— 'Coudonc, veux-tu une claque en arrière de la tête, toi ? »

Mais peu à peu, devant l'excitation de maman — elle avait rajeuni de dix ans depuis le soir de juin où le voyage avait été décidé —, je me mis à ronger mon frein en silence pour ne pas gâcher sa joie.

Mes amis me trouvaient chanceux (« En Gaspésie ! Tu vas trouver plein d'agates au bord de la mer ! »), je les trouvais niaiseux.

Le matin de notre départ, les valises jonchaient le plancher du corridor, monsieur Migneault, notre chambreur, s'était levé plus tôt pour nous aider à descendre tout ça sur le trottoir, mais nous aurions préféré qu'il reste couché : il sentait le parfum même à sept heures du matin. En fait, c'était pire parce qu'il sentait le parfum de la veille !

Maman avait eu une rage de dents durant la nuit et nous avions eu peur de ne pas pouvoir partir — quoique ç'aurait plutôt fait mon affaire — mais quelques gouttes d'extrait de clou de girofle l'avaient calmée et nous montâmes dans la Chevrolet bleu poudre de mon frère dans un état d'excitation près de l'hystérie. Mon père n'avait jamais pu apprendre à conduire à cause de sa surdité, Jacques serait donc le seul conducteur pendant tout le voyage.

Quant à moi, j'avais enfin une raison de vouloir partir pour la Gaspésie. Maman venait de me faire un superbe cadeau.

Juste avant de partir, elle m'avait pris à part :

« Que c'est que t'apportes comme lecture ?

— J'voulais relire les prince Éric, de la collection « Signe de piste »... J'les connais par cœur, mais c'est tellement beau !

— Laisse faire ça. J'ai quequ'chose pour toi... J'm'étais juré de jamais lire la même chose que toi après *Patira*, mais là... »

Elle tenait serrés contre elle deux volumes mous, décrépits, aux coins de pages écornés, des livres qui avaient été beaucoup lus et avec passion.

« Lis ça. C'est ta cousine Jeannine qui m'a prêté ça... C'est incroyable. Ça m'a faite... j'peux pas te dire c'que ça m'a faite... Mais j't'avertis, j'veux pas de discussion comme après *Patira*, par exemple ! Si j't'entends dire un seul mot contre ce livre-là, j'te nourris pas pendant le restant de l'été ! »

Bonheur d'occasion de Gabrielle Roy. Je l'avais vu traîner partout dans la maison depuis une semaine, j'avais entendu maman chanter ses louanges avec une voix mouillée ; elle parlait d'une famille Lacasse, de Saint-Henri, un quartier très éloigné du nôtre et que je ne connaissais pas du tout, de la conscription — mon père m'avait expliqué ce que ça voulait dire —, de la mort injuste d'un enfant dans un hôpital parce que ses parents étaient trop pauvres pour le faire soigner et d'une maison située tellement près des rails du chemin de fer que tout tremblait dans l'appartement des Lacasse quand les trains passaient. Elle parlait d'une grande histoire d'amour interrompue par la guerre et par la couardise du jeune homme, Jean Lévesque, qui disparaissait après avoir séduit l'héroïne, Florentine Lacasse, qui continuait quand même à l'aimer, la maudite folle ; d'un mariage malheureux pour que l'enfant de Jean Lévesque ait un père ; du départ de trois hommes de la même famille — le père, le fils, le gendre — pour la guerre à bord du même train qui les amenait probablement à la mort (« Tout le monde sait à c't'heure que nos hommes ont servi de chair à canon pendant le débarquement ! ») ; de la petite misère des Canadiens français pendant la guerre enfin décrite dans un grand roman, aussi grand et aussi beau que les grands romans français que nous aimions tant dans la famille.

« C'est de toute beauté. Tu sais que Gabrielle Roy a gagné un prix, en France, avec ce livre-là, y'a que-qu's'années, hein ? Le prix Fémina. Y paraît que c'est pas aussi important que le prix Concours, mais que c'est ben important quand même... »

Elle me l'avait offert comme un objet précieux et délicat qu'on ne peut pas laisser entre les mains de n'importe qui.

«C'est peut-être un peu sérieux pour toi, mais je pense que tu peux le lire quand même... T'es niaiseux par boutes, mais t'es vieux pour ton âge...

— J'peux-tu l'apporter en Gaspésie?

— C'est pour ça que j'le prête. J'sais que ça te tente pas ben gros de partir... Mais si tu lis ça, j'te promets que la semaine va passer vite!

— Tu vas me laisser le lire n'importe quand pis n'importe où, par exemple...

— Que c'est que tu veux dire?

— Ben si j'ai envie de lire dans le char...

— Ça te donnera pas mal au cœur?

— J'vas essayer, on verra ben...

— Fais-toi pas renvoyer juste par entêtement, là!

— Ben non... Pis si j'veux lire dans les motels, laisse-moi faire!

— Ben, tu vas quand même regarder de temps en temps les places qu'on va visiter, fais-moi pas peur!

— Ben oui, mais j'veux pas que tu me chicanes si j'aime trop ça pis si j'veux lire sans arrêter...

— Michel, exagère pas, là...

— Moman, commence pas, là!

— C'est vrai que j'ai quasiment brûlé deux repas la semaine passée tellement j'étais pognée là-dedans...

— Tu vois...

— Mais réponds-nous quand on va te parler, par exemple ! J'haïs assez ça, quand tu réponds pas ! »

*

Évidemment, je n'ai rien vu de la Gaspésie ou à peu près. Du voyage pour s'y rendre, je garde un vague souvenir de Québec que je n'avais jamais vue et que j'avais trouvée très jolie dans le soleil de juillet ; je revois ma mère assise dans une chaise de bois de la terrasse du Manoir Richelieu, à La Malbaie, disant avec un beau sourire : « On est pas venus ici depuis notre voyage de noces, Armand, ça fait trente ans ! » pendant que mon père cachait son émotion en faisant semblant de tousser dans son poing fermé ; j'entr'aperçois aussi un grand bateau blanc et papa, le bras levé, qui dit : « Mon pére pis ma mére sont partis d'icitte sus un bateau comme celui-là... Si y'étaient pas venus à Montréal, Nana, on se serait jamais rencontrés ! » ; quant au traversier, celui que je vois ressemble à ceux de Québec-Lévis... Étions-nous revenus à Québec pour traverser le Saint-Laurent ? Probablement, parce que je n'ai aucun souvenir de Tadoussac ou de l'embouchure du Saguenay.

De l'ancienne route de la rive sud qui ceinture la Gaspésie, celle qu'on évite maintenant parce qu'on est trop pressés mais qui est si belle, si impressionnante avec ses fjords et ses collines écroulées dans la mer — Rimouski, Kamouraska, Saint-Pacôme, Cacouna, Rivière-du-Loup —, je ne revois, si je lève les yeux de *Bonheur d'occasion*, que mes pieds posés entre les deux sièges avant de la voiture, le profil de mon frère concentré sur la route devant lui et, derrière, un coin de ciel irrémédiablement bleu.

Et j'entends maman dire:

«Michel, on est rendus au Bic, une des plus belles places de la province de Québec, pis t'as le nez plongé dans ton livre! Si tu te redresses pas tu-suite, j'vas te donner une claque chinoise pis tu vas rester empesé pour le restant du voyage!»

C'est moi qui avais ramené cette expression de l'école quelques mois plus tôt; elle l'avait trouvée très amusante, l'avait répétée à tout le monde en s'essuyant les yeux chaque fois tellement ça la faisait rire, mais elle commençait à me la servir avec sérieux depuis quelques semaines et j'avais peur qu'elle mette sa menace à exécution... Les claques de ma mère étaient extrêmement rares, mais elles étaient *chinoises* et elles *empesaient*!

Recroquevillé en fœtus ou en chien de fusil, couché sur le dos avec la tête appuyée sur la cuisse de mon père ou de ma mère selon les jours, les pieds au vent ou posés sur le plancher brûlant de la voiture, dévorant une tablette de chocolat Lowney's ou mâchant une gomme Thrills, je lisais Gabrielle Roy, insensible à la beauté des paysages qui nous entouraient, indifférent aux protestations des deux hommes et aux menaces de plus en plus précises de ma mère.

«Si tu lâches pas ce livre-là, j'te le fais manger!

— C'est toi qui me l'as prêté!

— Fais-moi-lé pas regretter! j't'avais demandé de pas trop lire dans le char!

— Chus pas capable d'arrêter, c'est trop bon !

— Voyons donc ! C'est pas du gâteau au chocolat !

— C'est meilleur !

— Donne-moi ce livre-là, là, donne-moi ce livre-là tu-suite, m'entends-tu ! Y'a toujours ben des émites ! DONNE-MOI-LÉ OU BEN DONC J'VAS LE CHERCHER MOI-MÊME ! »

Je fermais le livre à contrecœur, je jetais un coup d'œil blasé sur les splendeurs de mon pays.

« R'garde ça si c'est pas beau de voir ça, ces beaux gros rochers là dans la mer ! Le monde viennent jusque du bout du monde pour voir Le Bic, pis toi t'as le nez plongé dans un livre ! On passe pas à côté de belles affaires de même, Michel ! On n'a pas le droit !

— Ben oui, ben oui, c'est beau...

— R'garde la mer... c'est la première fois que tu la vois ! Sens-tu comme ça sent bon ?

— C'est même pas la vraie mer...

— Comment ça, c'est pas la vraie mer !

— On voyait encore de l'autre côté, tout à l'heure, tu me l'as montré...

— Michel, fais-moi pas parler ! L'eau est salée, c'est la mer ! »

Quand j'étais bien sûr qu'elle ne me guettait plus, j'ouvrais discrètement mon livre, me replongeais dans la tragédie de la famille Lacasse, dans Saint-Henri que je me proposais d'aller visiter le plus tôt possible, mon âme revenait à Montréal que je n'aurais jamais dû quitter, mon cœur frémissait à l'unisson de celui de Florentine qui attendait son Jean Lévesque, qui s'abandonnait à son Jean Lévesque, qui perdait son Jean Lévesque, qui se remettait à l'attendre...

« Michel, j't'entends lire ! »

À l'école, on ne nous faisait lire que très peu d'auteurs du Québec et jamais, absolument jamais, une œuvre complète. Je me souviens d'avoir analysé des bouts des *Anciens Canadiens* de Philipe Aubert de Gaspé — le folklore québécois du dix-neuvième siècle ne m'intéressait pas et je m'ennuyais à mourir —, des extraits de *Andante*, *Allegro* ou *Adagio* de Félix Leclerc — pour me faire dire, évidemment, que les fables de La Fontaine étaient infiniment supérieures —, j'ai un vague souvenir d'une description du *Survenant* de Germaine Guèvremont, celle, je crois, où le vent soulève les jupes d'Angélina Desmarais — pour me faire dire qu'on ne devrait pas écrire des choses comme celle-là parce qu'elles peuvent porter à plusieurs sortes d'interprétations ; il fallait que ce soit catholique et édifiant et, avec mes quatorze ans qui ruaient dans les brancards, je commençais à être pas mal tanné des pensées pieuses — les miennes l'étaient si peu ! — et des exemples édifiants.

Bonheur d'occasion n'était rien de tout ça, du moins du point de vue de la religion. C'était la première fois que je lisais un roman écrit dans ma ville où la vertu et le bon ordre ne régnaient pas en maîtres absolus, où la religion catholique ne répondait pas à toutes les questions, où Dieu n'était pas automatiquement au bout de chaque destin, et je n'en revenais pas. Le chaos existait donc à Montréal ailleurs que dans mon âme ? Je n'étais pas tout seul dans mon coin à commencer à soupçonner qu'on nous mentait, qu'on nous trompait depuis toujours?

Il n'y avait pas de morale dans le livre de Gabrielle Roy, la pauvreté ne s'expliquait pas, la lâcheté n'était pas punie, une jeune fille enceinte n'était pas coupable d'un ineffaçable péché, la guerre n'était pas une mission noble pour sauver la démocratie mais une monstruosité qui écrasait les petits et protégeait les riches.

Je trouvais dans *Bonheur d'occasion* des réponses aux questions que je commençais à me poser, je côtoyais des êtres qui me ressemblaient, qui s'exprimaient comme moi, qui se débattaient comme mes parents, qui subissaient l'injustice sans trouver d'issue et qui, parfois, payaient de leur vie les erreurs des autres.

Maman avait parlé de chair à canon. C'est donc ça que ça voulait dire! Des ouvriers comme mon père qui partaient pour la guerre non pas pour sauver la France ou l'Angleterre des griffes des méchants nazis — on était bien loin de King et de Biggles — mais pour faire vivre leur famille parce qu'ils ne trouvaient pas de travail dans leur propre pays, et qu'on envoyait se faire massacrer aux premières lignes parce qu'ils n'avaient pas d'éducation?

Bonheur d'occasion était donc un livre *athée* comme certains de ces romans français que lisait ma mère presque en cachette («C'est pas de ton âge!») et qu'avait lus ma grand-mère Tremblay avant elle! Et pourquoi m'avait-elle fait lire celui-là?

Je regardais de plus près, je scrutais les longues descriptions des états d'âme des personnages: Rose-

Anna Lacasse qui donnait naissance à un bébé le jour du mariage de sa fille tout en s'abîmant dans la douleur de la perte prochaine de son Daniel, huit ans, qui se mourait lentement de leucémie ; Florentine qui épousait Emmanuel Létourneau sans lui dire qu'elle ne pourrait jamais l'aimer et qu'elle était enceinte de Jean Lévesque ; Azarius Lacasse qui, à trente-neuf ans, entrait dans l'armée pour que sa famille puisse manger, et je me disais : « C'est ça, la vie, la vraie vie, y'a pas d'explications à l'injustice ni de solution ! Le bon Dieu va pas apparaître comme Superman pour sauver tout le monde, ces personnages-là sont perdus ! » Et tout ça, cette grande tragédie du petit monde ne se passait pas dans un lointain Paris du dix-neuvième siècle pendant les colossales transformations d'Haussmann ni dans les tranchées de la Berezina pendant les guerres napoléoniennes, mais chez moi, dans ma langue à moi, dans ma sensibilité à moi, dans ma compréhension du monde à moi, si insignifiante fût-elle.

J'étais plus que simplement bouleversé par la grande qualité de l'écriture et le sens dramatique de l'auteur, j'étais pâmé, reconnaissant de l'existence même d'une œuvre aussi forte écrite dans mon pays, dans mon fond de province, dans ma ville !

La chose était donc possible !

*

À Sainte-Flavie, où nous devions tourner à droite pour entrer dans les terres et traverser les montagnes qui menaient à la baie des Chaleurs, mon frère changea d'idée et continua tout droit. Mon père s'en aperçut tout de suite et, croyant à une erreur, lui en fit la remarque.

Je lisais à côté de papa, les jambes pliées sous moi. Mon frère me regarda dans le rétroviseur.

«Dis-y donc que j'ai changé d'idée pis qu'on verra la baie des Chaleurs en revenant.»

J'en étais à la moitié du deuxième volume, Emmanuel Létourneau cherchait Florentine à travers Saint-Henri pour la demander en mariage, et je me contentai de répondre par un vague grognement, ce qui mit Jacques en rogne.

«Michel, j'te parle! J't'ai rien demandé depuis qu'on est partis, mais là j'te demande d'expliquer à popa...

— Ben oui, ben oui, j'ai entendu, chus pas sourd!»

Pendant ce temps-là, mon père, qui ne savait pas de quoi nous parlions, continuait à faire de grands gestes en disant à Jacques qu'il s'était trompé, qu'il aurait dû tourner à droite... et, pour finir le plat, ma mère décida de s'en mêler. Elle se tourna avec difficulté, allongea le bras, tapota la main de papa.

«Y le sait, Armand!

— Quoi?

— Y le sait!

— Y sait quoi? Qu'y s'est trompé? Pourquoi y fait pas un U-turn, d'abord!

— Y s'est pas trompé!

— Comment ça, y s'est pas trompé! Y'arait dû tourner à droite à Sainte-Flavie, c'est écrit en gros sur la carte! R'garde!

— Monte ton appareil, tu vas mieux comprendre c'qu'on te dit!

— J'peux pas le monter plus, y'est au bout!»

Ma mère se tourna vers moi, furieuse.

«Explique-s'y donc, pour l'amour du bon Dieu, grand insignifiant! Y doivent nous entendre crier jusqu'à Gaspé! On te demande juste trente secondes de ton précieux temps! T'es à côté de lui, y va pouvoir lire sur tes lèvres! Pis donne-moi ça, c'te livre-là, j'sais pas pourquoi j't'ai prêté ça, t'es t'en train de te rendre aveugle! Un sourd pis un aveugle dans' famille, c'est trop!»

Elle m'arracha le livre des mains, le rangea dans le coffre à gants.

«Des fois, j'envie les mères qui ont des enfants qui savent pas lire!»

Je savais que c'était faux, qu'elle usait de mauvaise foi, comme d'habitude, pour arriver à ses fins, et je me tournai vers papa qui continuait à crier qu'on ne l'écoutait jamais, qu'on le prenait pour un nono mais qu'on allait bientôt se rendre compte qu'il avait raison, comme d'habitude.

Il écouta mes explications en haussant les épaules.

«Voyons donc! Y dit ça parce qu'y s'est trompé pis qu'y veut pas tourner de bord parce qu'y'est trop orgueilleux!»

Mon frère haussa les épaules.

Nous continuâmes en silence pendant quelques minutes. Mon père était visiblement furieux et ne put se contenir très longtemps.

« Ma mère m'a toujours dit qu'y fallait pas faire le tour de la Gaspésie dans le sens des aiguilles d'une montre mais dans l'autre sens ! Parce que c'est plus beau ! Parce qu'on voit plus d'affaires ! On sait ben, lui, y connaît toute, y connaît ça mieux qu'elle ! »

L'atmosphère était à couper au couteau et je n'osais pas redemander mon livre. Pour une fois que j'avais la tête levée vers le paysage, maman ne se pâmait plus et faisait comme s'il n'y avait rien eu à voir.

Mais la beauté de la mer, le jeu de la lumière sur les vagues, la petite brise fraîche qui venait du large finirent par nous calmer un peu. Nous étions toujours silencieux, mais l'agressivité fondait dans la splendeur du matin.

Lorsque nous arrivâmes à Percé, après avoir mangé un poulet rôti plutôt coriace à Gaspé parce que personne d'entre nous n'aimait le poisson (maman : « C'est ben nous autres, ça, venir en Gaspésie pour manger du poulet ! »), une brume épaisse, crémeuse, recouvrait tout et on ne voyait rien, ni le ciel, ni la mer, ni le fameux rocher, et nous cherchâmes longtemps, dans ce village pourtant petit, le motel Les Trois Sœurs où nous devions passer la nuit.

Maman était exaspérée.

« Avoir fait cinq cents milles pour tomber sur un banc de brume, franchement ! »

Mon frère essayait de la consoler.

«Des fois, y'a d'la brume le matin, mais a' finit par se lever pis y fait beau pour le reste de la journée...

— Des fois?»

Moi, évidemment, je ne pensais qu'à *Bonheur d'occasion*. J'essayais de trouver une façon de m'emparer du livre sans que maman s'en rende compte, mais nous étions toujours tous les quatre ensemble et je ne pourrais pas me cacher pour le lire...

La brume tardait à se lever et je voyais avec horreur approcher le moment où l'un des trois autres se lèverait pour annoncer que nous repartions pour Montréal. Ils en étaient tous les trois capables et cette menace plana sur nous une bonne partie de l'après-midi.

Vers trois heures, nous étions devant le petit théâtre de Percé qui venait d'ouvrir ses portes (Denise Pelletier, Guy Provost et Georges Groulx jouaient *La Fleur à la bouche* de Pirandello, je crois), lorsque tout d'un coup, sans l'aide du vent, par la seule puissance du soleil, le banc de brume se leva et le rocher de Percé nous apparut, tellement près de la grève que nous le prîmes tout d'abord pour un énorme bateau amarré et si beau que maman se mit aussitôt à pleurer.

J'étais très impressionné par ce gigantesque bloc de pierre gisant au bord de la mer, mais je savais que le moment était venu d'aborder maman, qu'il fallait profiter de son cœur qui fondait devant tant de beauté et de ses larmes qui la ramollissaient pour lui rappeler qu'elle n'avait pas le droit de m'empêcher de terminer ma lecture du Gabrielle Roy.

Elle me coupa au bout de quelques mots.

«Gâche-moi pas mon fun! Quand t'auras tout vu c'qu'y'a à voir à Percé, le rocher, l'île Bonaventure, les poissons séchés, la marée montante pis l'eau frette, tu l'auras, ton livre, pas avant!»

Je terminai donc la lecture de *Bonheur d'occasion* la nuit suivante, enfermé dans les toilettes, parfois assis sur la lunette, parfois étendu dans la baignoire. La fin me bouleversa plus que tout le reste. Les trois hommes de la même famille partant pour la guerre pour les mauvaises raisons; Florentine, nouvelle mariée malheureuse, entrevoyant son Jean Lévesque, le chien sale, de l'autre côté de la rue et décidant une fois pour toutes de ne plus courir après lui; Rose-Anna donnant naissance à un pauvre petit condamné dont le sort ne serait pas différent de celui des autres membres de sa famille, cette noirceur pesante de la tragédie ouvrière élevée à la hauteur des grandes tragédies européennes par l'immense talent de Gabrielle Roy, tout ça, le malheur d'un côté, le talent pour le raconter de l'autre, me remuait jusqu'au fond de l'âme, et je passai une partie de la nuit à pleurer. Sur le sort de la famille Lacasse, bien sûr. Mais, pour la première fois de ma vie, sur notre sort collectif de petit peuple perdu d'avance, abandonné, oublié dans l'indifférence générale, noyé dans la Grande Histoire des autres et dont on ne se rappelait que lorsqu'on avait besoin de chair à canon.

Au petit matin, maman entra dans la salle de bains et poussa un cri étouffé en m'apercevant.

«Que c'est que tu fais là? Es-tu malade?»

Je fis signe que non, lui montrai le livre.

Elle s'assit à son tour sur le bol de toilette.

«T'as fini?»

Je fis signe que oui.

«C'est-tu beau, hein?»

J'étais incapable de parler.

«J'savais que t'aimerais ça. J'te l'ai laissé lire...»

Elle me regarda avec un sourire triste.

«J'sais pas... Y me semblait que tu comprendrais tout c'qu'y'a là-dedans... Que tu comprendrais plus que les autres c'qu'y'a là-dedans... Tu comprends, c'est rare que quelqu'un parle comme ça de nous autres, les femmes... Toi, t'écoutes... Des fois j'me dis que Gabrielle Roy, a' devait écouter un peu comme toi quand est-tait p'tite... Pis excuse-moi pour après-midi... j'pensais pas c'que j'ai dit... j'envie pas pantoute les femmes qui ont des enfants qui lisent pas, au contraire, j'les plains de tout mon cœur!»

Les confidences, les *vraies* confidences ne viendraient pas, je le sentis, le moment était mal choisi et l'endroit trop ridicule. Je me contentai de regarder ma mère en répondant à son sourire.

Je refermai le livre, sortis du bain en m'étirant.

«Dis-toi bien, Michel, que Gabrielle Roy, c'est un génie.

— Oui. Gabrielle Roy, c'est un génie.

— Essaye de pas te coucher tu-suite, le soleil va se lever ben vite, pis y paraît que c'est de toute beauté, icitte, à Percé, de le regarder se lever sur la mer...»

Mais je n'ai pas vu le soleil se lever sur le rocher Percé, ce matin-là; je dormais profondément, les deux volumes de *Bonheur d'occasion* serrés contre moi. J'avais trouvé la première idole de ma vie issue de mon propre pays et aucun paysage, fût-il le plus grandiose du monde, ne pouvait rivaliser avec l'impression de bien-être que je ressentais.

AGAMEMNON

Eschyle

C'était un petit colis rectangulaire en papier cartonné brun retenu par une ficelle. Maman l'avait trouvé dans le courrier, le matin, et l'avait déposé sur la table de la salle à manger en arborite grise à contour métallique toute neuve dont elle était si fière. C'était le premier paquet venu d'Europe qui entrait dans la maison, et nous étions très impressionnés.

En revenant de l'école, à midi, j'avais trouvé ma mère en contemplation devant le petit timbre bleu, les sourcils froncés, le front plissé. Elle semblait douter de l'authenticité de sa provenance et le frottait du bout du pouce comme s'il avait été une tache d'encre dans le coin supérieur droit du paquet.

«Le livre de Jacques est arrivé de France, à matin. Quand on pense au voyage qu'y'a faite!»

J'avais jeté mon sac d'école sur le plancher, m'étais approché de la table presque en tremblant. Enfin! Depuis le temps!

«C'est de ça que ça a l'air, un paquet qui vient d'Europe!

— Comment ça se fait que t'as ton sac d'école?

— On a congé, après-midi. Y'ont une réunion de professeurs.

— Dis-moi pas que j'vas t'avoir sur le dos pour le restant de la journée!

— Ben non, faut que j'aille à la bibliothèque... »

Installé à côté de ma mère qui l'avait poussé vers moi en le retenant un peu comme si elle avait eu peur qu'il s'envole, je flattais doucement le colis. L'adresse était dactylographiée sur un ruban de papier blanc :

Jacques Tremblay
4505, rue Cartier
Montréal, P.Q.
CANADA

La corde était rude au toucher mais le carton plutôt doux. Et ça ne sentait rien du tout.

« Pourquoi tu te mets le nez là-dessus ?

— J'voulais voir si on pouvait sentir le livre à travers le carton.

— T'es senteux pis c'est vrai, toi, hein ? J'sais pas d'où c'est que t'as pu prendre ça, c'te manie-là ! On est pas comme ça, ni ton père ni moi ! »

Elle se leva de table en balayant de la main des miettes de pain inexistantes.

« Veux-tu que j'te fasse des beaux chapeaux de balloney pour le dîner ? »

C'était ce qu'elle avait décidé de me servir, je le savais, mais elle avait la gentillesse de me suggérer que j'avais le choix. J'adorais les tranches de balloney sautées, graisseuses et salées, qui prenaient la forme de petits chapeaux suintants en grésillant dans la poêle et que maman servait avec un reste de patates froides, mais, cette fois, j'entendis à peine sa question.

Elle traversa dans la cuisine. Je l'entendis vaguement sortir l'énorme poêle de fonte si lourde et dont maman disait toujours qu'elle allait finir par lui donner une hernie, la déposer sur la cuisinière, y jeter un motton de beurre qui se mit aussitôt à crépiter.

Moi, je restais planté devant le paquet que je n'osais pas ouvrir parce que je n'étais pas sûr qu'il m'appartenait vraiment. Enfin, j'étais sûr qu'il m'appartenait, mais le nom sur l'envoi n'était pas le mien et j'hésitais.

Quelques mois plus tôt, mon frère Jacques avait trouvé une annonce des Éditions Rencontres dans son courrier. Il l'avait examinée attentivement, l'avait laissée traîner sur son bureau pour être sûr que je la trouverais et, surtout, pour me mettre l'eau à la bouche. Jacques était maintenant professeur de français dans une école primaire et s'était fait construire un magnifique bureau de travail en bois blond bien verni — c'était le début de l'ère du Varathan — sur lequel j'avais d'ailleurs commencé à écrire de petites choses sans importance, des poèmes, un semblant de journal, quand il ne s'en servait pas pour corriger ses copies. Il connaissait et encourageait ma passion de la lecture même s'il trouvait souvent mes choix douteux.

Il m'avait expliqué que lorsqu'on s'abonnait aux Éditions Rencontres, on s'engageait à acheter dix livres par année (dix livres par année, mon frère était donc riche !) et on en recevait un *gratuitement*, au tout début de l'abonnement.

Un livre *neuf* gratuit !

«Y disent que c'est des livres de toute beauté! Reliés en similicuir pis en imitation or! Y paraît que c'est ben doux au toucher, que c'est matelassé, que c'est pas imprimé trop petit pis que toute bibliothèque personnelle peut s'en enorgueillir! Qu'est-ce que t'en penses?»

J'avais fait ce que ma mère appelait ma *danse de Saint-Guy*, j'avais sauté dans la pièce en battant des mains, je m'étais jeté en poussant des cris de fou dans le monstre rouge vin dont le trou sur l'appuie-bras gauche ressemblait de plus en plus à un cratère.

«Michel, r'tiens-toi un peu, t'es pus un enfant, t'as quasiment quinze ans!»

Je m'étais relevé, j'avais pris cet air faussement contrit dont je m'étais fait une spécialité depuis quelque temps et qui, croyais-je, dupait tout le monde.

«T'as raison... Excuse-moi. C'est l'énervement, tu comprends...

— Tu vas avoir seize ans l'année prochaine, y faut que tu lâches les livres insignifiants que tu lis depuis toujours pour t'attaquer aux classiques...

— Jules Verne, c't'un classique, tu sauras!

— Jules Verne, c't'un insignifiant!»

Mon frère Jacques a toujours eu le jugement vindicatif et définitif. Et je n'allais quand même pas lui avouer que j'avais commencé à piger dans ses livres depuis longtemps, que certains auteurs à l'index, les plus faciles à lire — Hugo, Maupassant, Baudelaire —, n'avaient plus de secrets pour moi depuis belle lurette, du moins le croyais-je dans ma prétention d'adolescent qui se pense plus fin que tout le monde.

« Le livre qu'y donnent, c'est trois tragédies grecques. Comme ça m'intéresse pas, je te le donne. Tu le prendras quand y'arrivera. »

Je ne savais même pas ce qu'était une tragédie grecque, mais j'avais envie de recommencer ma danse de Saint-Guy.

Lui sauter au cou était une chose impensable. Ça ne se faisait pas dans la famille, du moins entre hommes. Je le remerciai le plus simplement possible — plutôt froid de l'extérieur mais bouillant en dedans — et me mis aussitôt à attendre le colis de France.

Qui tarda.

Chaque midi, en rentrant de l'école, je demandais à maman si le paquet était arrivé. Elle levait le nez — elle détestait être dérangée pendant son émission de radio favorite, *Jeunesse dorée*, de midi à midi et quart, qui lui faisait mouiller au moins deux mouchoirs par jour —, secouait la tête, replongeait dans les malheurs nombreux et compliqués concoctés par la championne des romans-savons, madame Laurette Auger, alias Jean Despréz.

« Tu l'ouvres ou ben tu l'ouvres pas, le maudit paquet ! »

Plusieurs minutes avaient passé sans que je m'en rende compte, et j'étais toujours en contemplation devant le paquet intact.

Maman avait la poêle de fonte à la main, elle en vidait le contenu rosâtre et grésillant dans une assiette posée au bout de la table. Ce n'était pas très beau à voir, ces tranches de balloney calcinées par endroits et recouvertes d'une sueur de graisse fondue, mais l'odeur était pénétrante et je me mis aussitôt à saliver.

Je levai la tête.

Le balloney ou Eschyle?

Choix difficile.

Je repoussai le livre. Je ne voulais pas me dépêcher d'ouvrir le colis, je l'avais tellement attendu, il ne fallait pas gâter le moment sublime où je déshabillerais le volume des Éditions Rencontres de sa gangue de papier cartonné. Un livre en similicuir! Avec du doré! Matelassé! Moi qui étais habitué aux vieilles choses toutes moisies de la Bibliothèque municipale!

«T'as ben raison, tant qu'à ça. Attends donc d'avoir fini de manger. Pis mange tu-suite, là, le balloney refroidi c'est pas digérable, tu le sais!

— Tu dis toujours que je peux digérer des fers à repasser!

— Oui mais quand tu manges trop vite, le fer à repasser se met à «steam» pis t'es malade!»

Le balloney englouti — «Michel, si tu vois des taches noires après-midi, viens pas te plaindre à moi!» —, les mains lavées et la bouche bien essuyée (je me doutais que j'allais embrasser le livre avant de l'ouvrir et je n'avais pas du tout l'intention d'y laisser des traces de gras), je revins m'asseoir devant le paquet encore intact.

Le moment était venu.

Je pris le ciseau dans le coffre à outils, sous l'évier de la cuisine, et me dirigeai vers ma chambre.

« Michel ! Es-tu sûr que tu peux ouvrir c'te paquet-là avant que ton frère arrive à soir ?

— Oui, j'te l'ai dit cent fois, Jacques me l'a donné !

— Y me l'a pas dit, à moi !

— Moman, tu me gâteras pas ma journée, là, tu me feras pas attendre jusqu'à soir !

— O.K., vas-y, fais à ta tête, tu fais toujours à ta tête ! Chus trop bonne avec toi, aussi ! Si ton frère crie, après, c'est moi qui vas ramasser les pots cassés ! »

Je m'installai confortablement dans le La-Z-Boy, posai le colis sur mes genoux, coupai la corde que j'enroulai autour de ma main pour la garder en souvenir. Une corde européenne ! Je détachai ensuite le papier en prenant une attention particulière à ne pas froisser ou déchirer l'adresse et le timbre bleu. C'était un papier brun un peu rude au toucher qui rappelait celui avec lequel nous couvrions nos livres de classe mais en plus solide. En dessous, un carton rigide qui s'ouvrait comme une boîte...

Des papiers, un petit catalogue, le choix du mois, une lettre écrite avec un caractère d'imprimerie qui ressemblait à une main d'écriture et une encre sépia qui faisait très « vrai » : « Bienvenue à notre club, monsieur Tremblay, votre choix fut des plus judicieux », etc.

Il était là, enchâssé dans le carton comme un objet précieux ; il n'était pas matelassé — probablement parce qu'on le donnait gratuitement avec l'abonnement — mais la couverture en similiveau d'un beau brun clair, presque caramel, avait belle allure. Un bouquet d'odeurs d'encre d'imprimerie, de papier, de carton me monta aux narines et je me penchai sur le colis en fermant les yeux.

On dit que désirer est plus jouissant que posséder. C'est faux pour les livres. Quiconque a senti cette chaleur au creux de l'estomac, cette bouffée d'excitation dans la région du cœur, ce mouvement du visage — un petit tic de la bouche, peut-être, un pli nouveau au front, les yeux qui fouillent, qui dévorent — au moment où on tient enfin le livre convoité, où on l'ouvre en le faisant craquer mais juste un peu pour *l'entendre*, quiconque a vécu ce moment de bonheur incomparable comprendra ce que je veux dire. Ouvrir un livre demeure l'un des gestes les plus jouissifs, les plus irremplaçables de la vie.

Je reluquais depuis longtemps les beaux livres dans les librairies de la rue Mont-Royal ou de la rue Sainte-Catherine, mais celui-là était le premier qui m'appartenait en propre. Il était doux au toucher, il sentait bon, l'impression en était aérée, le papier, sans être fin, témoignait tout de même de la qualité et du sérieux des Éditions Rencontres, un petit ruban de taffetas cousu dans la reliure servait de signet... J'avais su que je l'embrasserais dès que j'avais vu le colis sur la table de la salle à manger, cela m'arrivait souvent pour les livres que j'aimais avec passion, mais jamais je n'avais imaginé avoir un jour envie de *mordre* un livre...

La première des trois pièces grecques était *Agamemnon* d'Eschyle. Tout ce que je savais de la guerre de Troie à cette époque me venait de *Helen of Troy* de Robert Wise, un mauvais film américain tourné en Italie que j'avais vu l'année précédente au Palace, ennuyant pour crever la bouche ouverte, et qui mettait en vedettes Rosanna Podesta, Jacques Sernas et Brigitte Bardot dans une de ses premières apparitions à l'écran. Je connaissais donc l'enlèvement d'Hélène et ses conséquences sur la vie des Achéens et des Troyens parce qu'on m'avait raconté tout ça dans un salmigondis de scènes de batailles et de pages d'histoire mal ficelées, mais j'ignorais à peu près tout de ce qui avait précédé l'histoire du cheval de Troie et, surtout, de la joyeuse famille des Atrides : la vraie soif de vengeance de Ménélas et d'Agamemnon, le monstrueux sacrifice d'Iphigénie, l'hystérie de Clytemnestre à qui on arrachait une de ses filles, l'arrivée d'Égisthe dans la vie de la reine, la disgrâce d'Électre et, surtout, le sort réservé aux Troyennes après la victoire des Grecs. Je commençai donc ma lecture avec un esprit parfaitement ignorant non seulement de l'histoire de la Grèce, mais aussi des règles fondamentales de son théâtre.

J'aimais déjà passionnément le théâtre, cependant. Je dévorais tous les téléthéâtres que Radio-Canada produisait à l'époque : installé avec ma mère devant la télévision, un verre de Quick dans une main et des gâteaux Royal dans l'autre, je dévorais tous les jeudis et tous les dimanches soirs Dubé et Molière, Tchekhov et Françoise Loranger, Oscar Wilde et Félix Leclerc, Tourgueniev, Labiche, Hugo et Anne Hébert. Même Gabriel Arout et Jean-Robert Rémillard. Je changeais d'époque, de ton, de style avec un plaisir fou ; je m'inquiétais pour l'héroïne de *L'Éventail de Lady Windermeer* qui avait commis l'erreur d'écrire un message sur son instrument, j'étouffais de rire à la scène du jardin de *Georges Dandin*, je pleurais à chaudes larmes devant les malheurs de Gisèle Schmidt dans *Un mois à la campagne*, j'étais subjugué par le langage si près de moi des personnages de *Zone* qui auraient pu être mes voisins, malgré leurs noms étonnants pour des Montréalais : Ciboulette, Tarzan, Moineau. Mais étais-je prêt pour Eschyle ?

Je lus trois ou quatre fois de suite le premier monologue du veilleur posté sur les remparts d'Argos avant de bien saisir tout ce qu'il contenait : j'allai consulter mon Larousse pour les mots *Atrides*, *Argos*, *Ilion*, *Agamemnon*, je fis de l'analyse de texte comme on me l'avait enseigné à l'école en disséquant les phrases trop compliquées, je réfléchis sur certaines locutions, sur certaines images, sur les métaphores. Et lorsque je fus convaincu de bien comprendre le tout, je relus le monologue à voix haute et les larmes me vinrent aux yeux. Que de choses étaient dites en si peu de mots, à peine une page de texte ! Ce veilleur qui nous expliquait avec des images magnifiques qu'il était posté depuis des années sur les remparts d'Argos à attendre des nouvelles de la chute de Troie, je le voyais, je l'entendais. Il nous parlait des inéluctables changements de saison, de la mauvaise gouverne d'Argos depuis le départ du roi, de la femme d'Agamemnon, la terrible Clytemnestre, qui avait osé prendre un amant, qui devait se lever pour annoncer aux habitants de la ville la chute de Troie, de son envie, à lui, simple veilleur, de quitter les remparts, de chanter, de danser pour fêter la victoire des siens en pays étranger, tout ça énoncé avec une telle poésie que je passai une grosse heure à relire le monologue, à l'apprendre par cœur: «Je demande aux dieux que me quittent ces peines, ces longues années de vigie. Je couche accroupi sur le toit des Atrides comme un chien. Je connais l'assemblée des astres nocturnes, ceux qui apportent aux vivants l'hiver ou l'été...» Quelle beauté! Ça ne ressemblait à rien de ce que je connaissais, ce n'était pas immédiatement reconnaissable ou compréhensible pour moi, mais, l'analyse terminée, le texte bien saisi, quelle joie débordait de mon cœur! Un souffle de grandeur parcourait mon âme, encore une fois je voyageais loin de la rue Cartier, de Montréal, mais ce jour-là c'était sur les ailes d'un génie de plus de deux mille ans dont jamais je n'aurais pu deviner l'existence et, surtout, la force foudroyante, si mon frère Jacques ne s'était pas abonné aux Éditions Rencontres!

Pourquoi ne m'avait-on jamais parlé d'Eschyle à l'école? Était-il réservé aux seuls privilégiés des collèges classiques? En étions-nous indignes, nous les enfants d'ouvriers? Ne méritions-nous que *La Perle au fond du gouffre* ou autres *Anciens Canadiens*?

Je passai au premier chœur. Le monologue du coryphée était plutôt coton, mais je finis par le comprendre aussi bien que celui du veilleur. L'entrée du chœur lui-même, cependant, m'étonna beaucoup — j'étais habitué aux chœurs d'opéra que je hurlais à rendre ma mère folle en écoutant mes disques: «Gloire immortelle de nos aïeuuuuux!» ou bien *«Va pensieeeero, sull'alli della libertààà!»*, mais un chœur *parlé*, qu'est-ce que ça voulait dire? — et il me fallut énormément plus de temps pour comprendre le rôle de ces habitants d'Argos qui sortaient de la ville pour venir nous parler. Mais lorsque je commençai à deviner leur utilité, leur fonction à l'intérieur de la pièce, je fus subjugué et je restai cloué sur place, foudroyé par une révélation qui allait changer ma vie.

Au lieu d'y avoir un seul narrateur comme dans un roman ou au théâtre, dans certaines pièces, *La Ménagerie de verre* de Tennessee Williams, par exemple, un groupe d'habitants d'Argos sortait de la ville pour venir nous raconter ce qui s'était passé avant que la pièce commence, ce que nous devions savoir sur l'action, les lieux, les personnages. Ce groupe était aussi le confident des personnages et lui-même un protagoniste intégré à l'action de la pièce. On nous avait vaguement parlé à l'école des trois règles du théâtre: unité de lieu, de temps, d'action, en nous citant en exemple *Polyeucte* de Corneille, probablement parce que c'était une pièce chrétienne, mais jamais on ne nous avait expliqué comment les Grecs anciens avaient inventé, parfait ces trois règles en utilisant comme matière liante, comme ciment, ces personnages multiples qui n'en formaient qu'un.

En lisant les deux autres pièces du volume — qui n'étaient pas les deux derniers volets de l'*Orestie* —, je me rendrais compte par moi-même, et ce serait l'une des grandes découvertes de ma vie, qu'au théâtre, quand un personnage nous parle de ses malheurs dans un monologue, cela n'implique que lui et le public devient son confident, mais que lorsque plusieurs personnages disent en chœur la même chose en même temps, ils ne s'additionnent pas, ils se multiplient; ils ne sont plus cinq, ou treize, ou vingt, ils deviennent un personnage qui représente tout le monde et parle pour tout le monde. Je venais de découvrir qu'on pouvait faire parler des collectivités en une seule voix multiple, comme on arrivait à les faire chanter à l'opéra! Et que l'opéra, en fin de compte, c'était des tragédies grecques chantées.

Je verrais ma première tragédie grecque quelques années plus tard, au Théâtre du Nouveau Monde: *Les Choéphores* d'Eschyle, justement la suite de l'*Agamemnon* que je venais de lire, dans une magnifique mise en scène de Jean-Pierre Ronfard, avec Dyne Mousso, Albert Millaire, Charlotte Boisjoli et Nicole Fillion, un spectacle qui fut malheureusement mal compris et qui passa à peu près inaperçu. Mais là, à la dernière représentation — onze spectateurs dans une salle de mille places — je me dirais: «C'est ça, c'est ça, le théâtre, c'est ça que je voudrais faire!» et je me souviendrais de ma lecture d'*Agamemnon* et de la représentation des *Choéphores* quand viendrait le temps, en 1965, d'écrire ma première pièce en joual.

Quand je terminai la lecture d'*Agamemnon* — j'y avais mis l'après-midi complet parce qu'il y avait beaucoup de choses que je ne saisissais pas du premier coup — j'eus l'impression d'être devenu quelqu'un d'autre, d'avoir grandi, évolué en quelques heures, d'avoir entrevu des possibilités qui me concernaient personnellement et qui transformeraient ma vie d'une façon définitive, j'ignorais encore quoi, mais, je le savais, ça m'était entré dans le corps, dans le cœur pour le reste de mes jours.

Je venais de subir la piqûre de la littérature grecque et je passerais tout l'été suivant à fouiller dans les livres de mon frère — je n'avais pas encore accès à la salle des adultes de la Bibliothèque municipale — à la recherche de l'histoire des Atrides et de celle des Troyens. Il y avait donc quelque chose de grand, d'important, sous l'anecdote du cheval de bois? Qui était vraiment Cassandre, l'esclave et probablement maîtresse qu'Agamemnon avait ramenée de Troie? Qu'est-ce qu'Égisthe faisait dans le lit de la reine? Et qu'est-ce que c'était que cette tuerie, à la fin, cette inimaginable violence de deux amants assassinant le mari et sa maîtresse? Seraient-ils punis? Le chœur qui voyait tout les dénoncerait-il? Je voulais tout savoir d'eux et j'allais bientôt découvrir toute la famille de psychopathes: Électre, Oreste, Chrysotémis... mais grâce à l'opéra, cette fois, avec l'acquisition de ma première œuvre de Richard Strauss: *Elektra*, le célèbre enregistrement de Karl Böhm, avec Inge Borkh.

Je fermai le livre très doucement, le flattai avec la paume de ma main droite comme pour y laisser ma chaleur... et le mordis avec une volupté que j'ai rarement retrouvée depuis.

Ma mère crierait, Jacques m'engueulerait — un livre neuf! avec des traces de dents! — mais tant pis, la tragédie grecque portait déjà ma marque!

BUG-JARGAL

Victor Hugo

Appelons-le le frère Léon, parce que j'ai oublié son nom ou que j'ai choisi de l'oublier. Le frère Léon était mon professeur de français en dixième année à l'école secondaire Saint-Stanislas, la fameuse E.S.S.S. célèbre dans tout le Québec pour son corps de cadets et de clairons (eh oui, je fis partie pendant trois ans du corps de cadets de l'E.S.S.S., et ce fut un cauchemar de tous les instants!). Le frère Léon m'aimait bien parce qu'il trouvait que j'avais du talent et pour la même raison était très sévère avec moi. Il ne me laissait rien passer et la moindre petite faute en composition ou en dictée me coûtait plus cher qu'à n'importe qui d'autre dans les trois classes de dixième. Quand je me plaignais à lui de sa sévérité — parce qu'il m'arrivait de le faire devant certaines injustices flagrantes — il me répondait:

«Avec le talent que vous avez, Tremblay, j'devrais vous donner automatiquement zéro chaque fois que je rencontre un verbe mal accordé ou une faute d'inattention!»

Il m'encourageait à écrire, se doutait que je le faisais, se plaignait que je ne lui montrais jamais rien.

«Vos compositions sont bien bonnes, mais je donnerais cher pour savoir ce que vous pondez d'autre! Avez-vous honte de ce que vous écrivez tout seul à la maison? Parce que je suis convaincu, Tremblay, que vous écrivez en cachette!»

Je rougissais. Mais je n'avouais rien parce que j'avais l'intention de rester discret quant au sujet des thèmes que j'abordais : je n'allais quand même pas lui dire que je venais de terminer un roman homosexuel ou un conte fantastique inspiré de la vierge de Nuremberg dans lequel un baron du moyen-âge enfermait des femmes dans des robes de fer pour les faire rôtir et les manger ! Mais il se doutait sûrement de quelque chose, parce qu'il me regardait rougir avec une évidente satisfaction.

À la maison, je ne savais plus où cacher mes écrits qui se multipliaient à une rapidité folle. L'atlas rouge de mon frère dans lequel j'avais longtemps gardé mes premiers poèmes n'était plus une cachette sûre — c'était le seul livre de la maison dont la tranche n'était *jamais* couverte de poussière, ça voulait donc dire que ma mère le «visitait» régulièrement —, il n'était évidemment pas question d'utiliser un des tiroirs du bureau de travail de Jacques et ma table de chevet — j'avais hérité de l'ameublement de chambre à coucher de Bernard depuis qu'il s'était marié avec la merveilleuse Monique, dont ma mère disait toujours, avec un sourire en coin : «Y'est ben chanceux, parce qu'y'a mérite pas !» — était une proie trop facile pour, disons, quelqu'un qui se promenait régulièrement dans la maison avec une cannette de Pledge et un chiffon humide...

Mais au moment où cette histoire se déroule, je venais d'inventer un subterfuge que je trouvais aussi astucieux que celui de *La Lettre volée* d'Edgar Allan Poe, rien de moins.

Je m'étais vite rendu compte que Jacques ne lisait pas vraiment les livres qu'il achetait des Éditions

Rencontres. Il les feuilletait quand il les recevait, en parcourait parfois des bouts puis les plaçait dans la bibliothèque où ils auraient jauni sans plus jamais être consultés si moi je ne les avais pas dévorés.

J'avais commencé depuis quelques mois une série de contes fantastiques inspirés de Poe, justement, de Jean Ray, aussi, de Nerval, de H. P. Lovecraft, cet auteur américain du tournant du siècle dont je rêvais secrètement qu'il était mon grand-père, parce que j'avais lu quelque part qu'il avait fréquenté les bordels de Providence au début du vingtième siècle, à l'époque où, au dire des méchantes langues, ma grand-mère maternelle avait «fait la vie» dans cette ville... Dans mon rêve, H. P. rencontrait Maria Desrosiers au bordel, tombait amoureux fou d'elle, lui demandait de ne pas prendre de précautions pendant qu'ils faisaient l'amour, lui faisait un enfant, *ma mère*! J'étais le petit-fils de Lovecraft et j'allais porter le flambeau du conte fantastique qu'il avait tenu si haut! Je cachais chacun de mes contes dans un volume des Éditions Rencontres. Les quatre volumes des *Frères Karamazov*, les deux volumes de *L'Idiot*, la belle édition matelassée de *Tess d'Urberville* et celle de *L'Assommoir* contenaient donc chacun un de mes textes plié en quatre, et j'étais convaincu que personne n'irait les y chercher parce qu'ils étaient trop faciles à trouver.

Toujours est-il qu'un bon jour le frère Léon décida de nous faire une longue diatribe au sujet des livres à l'index. C'était plutôt étonnant, parce qu'à part moi presque personne dans la classe ne lisait sérieusement. Nous étions en dixième «scientifique», les arts en général et la littérature en particulier n'étaient pas très bien vus.

Je trouvais son discours plutôt drôle parce qu'il ressemblait plus à une liste de suggestions de lectures qu'à une condamnation sans appel d'écrivains qui avaient eu l'audace de pondre les œuvres répréhensibles... Par exemple, il disait :

« *Tout* Victor Hugo, m'entendez-vous bien, *tout* Victor Hugo est à l'index ! C'était un écrivain aux mœurs dissolues qui se prétendait près de Dieu mais qui pratiquait plus la révolution que la religion ! N'approchez pas de ses livres, contentez-vous du court extrait des *Travailleurs de la mer* qu'on vous demande d'analyser dans vos cours de français. Ne lisez pas sa poésie ! Ne lisez pas ses romans ! Ce sont des œuvres pernicieuses ! »

Il donnait sûrement le goût de lire Hugo même aux derniers des cancres qui n'avaient jamais ouvert un livre de leur vie ! C'était peut-être d'ailleurs son but !

Je venais de terminer *Notre-Dame de Paris* dans la petite collection Nelson, et je ne comprenais pas du tout pourquoi ce livre était répréhensible. Je m'étais pâmé sur les longs passages au sujet de l'imprimerie, dont Hugo disait qu'elle était la plus grande invention de l'humanité depuis la roue, je les avais fait lire à mon père qui en avait eu les larmes aux yeux, j'avais eu envie de materner Quasimodo que je trouvais touchant, et j'avais trouvé Esméralda bien niaiseuse avec sa chèvre et son chum trop beau... C'était un livre qui m'avait donné envie de quitter Montréal pour aller lire la façade de Notre-Dame de Paris comme dans un livre ouvert, un volume démesuré qui me dévoilerait tous les mystères du moyen-âge. Comment un frère enseignant catholique pouvait-il se permettre de condamner une telle œuvre?

À cause des mœurs dissolues dont avait parlé le frère Léon, je suppose. Après tout, Esméralda n'était-elle pas une *bohémienne* dont on pouvait imaginer qu'elle n'était plus *vierge* depuis longtemps et qu'elle couchait avec tout le monde? Je regardais mes confrères de classe qui buvaient les paroles du professeur tout en prenant des notes... Tout ça, cette hypocrisie puante, cette façon détournée de donner envie de lire — si telle était l'intention du frère Léon, ce qui était loin d'être sûr —, était tellement ridicule! Pourquoi ne pas dire simplement que *Notre-Dame de Paris* était un roman facile à lire, plus passionnant qu'un western et infiniment gratifiant pour l'âme? Pourquoi ne pas essayer d'encourager la lecture pour des raisons positives plutôt que par l'attirance d'un éventuel péché?

Pour la première fois, au beau milieu de la diatribe du frère Léon contre les livres à l'index, je me rendis compte que j'écrivais probablement moi-même des «œuvres répréhensibles». Dostoïevski et Tolstoï et Zola, certainement à l'index eux aussi, servaient de cachette à d'autres textes condamnables! Je ne pus réprimer un fou rire qui me valut les foudres du professeur de français.

«Tremblay, levez-vous et dites-nous donc c'qui vous fait tant rire! Hein? Levez-vous qu'on voie la belle couleur rouge tomate de votre visage! Ça vous fait rire, l'index? Je suppose que vous pensez que ça vous concerne pas ? Vous en lisez peut-être ! Hein ? En lisez-vous ? Lisez-vous des livres à l'index, oui ou non ? »

Je répondis sans réfléchir :

« J'ai lu *Notre-Dame de Paris* sans savoir que c'était à l'index... »

Des murmures choqués, le frère qui se raidit. Je me dis : ça y est, je viens de signer ma propre condamnation, maudit niaiseux ! Il s'approcha de moi, plus rouge que je ne l'avais été une minute plus tôt, une baguette à la main, prêt à frapper.

« Vous avez lu *Notre-Dame de Paris* !

— Ben oui.

— Au complet ?

— Ben oui.

— Vous en êtes-vous confessé ?

— J'viens de vous dire que je savais pas que c'était à l'index...

— Taisez-vous ! Baissez les yeux ! Faites un acte de contrition !

— J'peux pas faire un acte de contrition *après* m'être rendu compte que ce livre-là est à l'index, frère, j'ai pas commis de péché !

— Faites pas la tête forte ! Vous allez tout de suite vous rendre au bureau du directeur, vous allez lui demander une permission spéciale pour aller vous confesser *immédiatement* ! Vous lui direz que c'est d'une extrême importance !

— Y va penser que j'ai tué quelqu'un !

— J'vous ai dit de vous taire ! »

Il se tourna vers les autres.

« Vous voyez ce que ça donne de lire Victor Hugo ! Ça rend arrogant ! Vous me désappointez, Tremblay ! J'pensais que vous aviez un peu de bon sens, que vous étiez un bon catholique ! J'commence à me demander sérieusement si j'ai envie de lire c'que vous écrivez en cachette ! Ça doit pas être beau tu-suite ! »

L'histoire fit le tour de l'école en quelques minutes. Tremblay de dixième année C avait lu Victor Hugo et avait été obligé d'aller aussitôt s'en confesser ! J'étais tellement humilié en me rendant à l'église — le directeur, aussitôt ma faute avouée, avait téléphoné au presbytère pour demander qu'on y entende immédiatement ma confession —, que j'aurais voulu mourir sur-le-champ, disparaître entre les craques du trottoir, au risque de me retrouver en enfer si vraiment j'étais en état de péché mortel. Puis l'infantilisme de cette histoire finit par me faire sourire. Et je me jurai d'essayer de me venger.

*

Ce fut la confession la plus ridicule et la plus drôle de ma courte carrière de catholique pratiquant. Un prêtre m'attendait à la porte de l'église Saint-Stanislas en pensant que j'avais commis un péché ignominieux, se pourléchant probablement d'avance de mon récit.

Il me précédait en froufroutant dans l'allée latérale qui menait aux confessionnaux. Je le trouvais bien beau dans sa soutane — il l'avait relevée avec une ceinture pour aller patiner, je pouvais entrevoir le bas de son pantalon — et j'essayais de regarder ailleurs. Je ne voulais quand même pas avoir un vrai péché à avouer! Et, en plus, un péché le concernant!

«Qu'est-ce que vous avez fait, pour l'amour du bon Dieu, pour qu'on interrompe comme ça notre partie de hockey du mercredi après-midi?

— J'ai lu Victor Hugo.»

Il s'arrêta brusquement, se tourna vers moi.

«Pardon?

— J'ai lu *Notre-Dame de Paris* de Victor Hugo...

— C'est tout?

— Ben oui. Ça a l'air que c't'assez!

— Le directeur de l'E.S.S.S. me dérange pour que je vous confesse parce que vous avez lu *Notre-Dame de Paris* de Victor Hugo?

— Ben oui...

— Mais c'est un imbécile!

— C'est à l'index...»

Il porta la main à ses cheveux qu'il replaça nerveusement. Il avait vraiment de très beaux cheveux...

«Ah oui? *Notre-Dame de Paris* est à l'index? J'savais pas ça!

— Ben oui.

— Vous le saviez, vous?

— Ben non... Si vous, vous le saviez pas...

222

— Vous pouvez pas avoir fait un péché si vous le saviez pas! Mais... avez-vous fait des péchés en le lisant?

— Ben... j'sais pas... non, pas que je sache...

— Quel imbécile! Retournez immédiatement à votre école, je me charge de votre directeur... Mais dites quand même quelques *Je vous salue, Marie*, au cas...»

Nous ne nous étions même pas rendus jusqu'au confessionnal.

Le frère Léon me regarda entrer dans la classe avec, à la place des yeux, deux carabines chargées prêtes à tirer. Ils avaient dû, le directeur et lui, avoir des nouvelles du prêtre joueur de hockey pendant que je revenais à l'école. Il avait voulu me donner une leçon et n'avait réussi qu'à se ridiculiser en entraînant son directeur dans le gouffre avec lui.

Mais il ne savait pas encore ce qui l'attendait. Moi non plus, d'ailleurs, parce que j'allais payer cher un des gestes les plus braves de mon adolescence.

*

Mon frère enseignait le français depuis des années, il possédait donc le précieux et mythique «livre des professeurs», cette fameuse publication du département de l'Instruction publique qui contenait toutes les réponses à tous les exercices de français, de la première à la douzième année, et que je me glorifiais de n'avoir jamais consultée. Je voyais souvent le livre des professeurs traîner sur le bureau de travail de Jacques, j'aurais pu des centaines de fois y puiser les réponses aux exercices les plus difficiles que j'avais à faire, mais, n'étant pas tricheur de nature et, comme chacun le sait dans mon entourage, étant affublé d'une forte tête de cochon, je préférais chercher en sacrant, trouver en jubilant. Ou me laisser couler dans le désespoir si je ne trouvais pas.

Ce jour-là, cependant, j'avais une raison de le consulter et j'allai trouver mon frère aussitôt revenu de l'école.

«Depuis quand tu fouilles dans mon livre des professeurs, toi?

— J'te jure que j'ai jamais fouillé dedans, mais là, j'veux chercher quequ'chose pis j'aime mieux te demander la permission...

— Qu'est-ce que tu cherches? J'peux peut-être t'aider...

— J'cherche la liste des auteurs à l'index.»

Il partit d'un bon rire, la tête penchée par en arrière.

«C'est pas compliqué: tout c'que t'as envie de lire est probablement à l'index!

— Chus sérieux! J'veux consulter la liste des romans de Victor Hugo...

— J't'ai laissé lire *Notre-Dame de Paris* sans rien te dire, mais exagère pas...

— J'veux juste lire la liste de ses romans pour voir si y sont toutes à l'index!

— Sont sûrement toutes à l'index, mais c'est pas dans le livre des professeurs que tu vas trouver ça...»

J'avais piqué sa curiosité, j'étais sauvé. Il sortit un gros livre que je ne connaissais pas, le *Livre de l'Index* du bien nommé Sagehomme, le feuilleta rapidement comme quelqu'un habitué à consulter ce genre de publications puis poussa un cri de victoire :

« Je l'ai ! Tiens, qu'est-ce que je t'avais dit ! »

Une page complète était consacrée à Victor Hugo. J'étais désespéré : *Notre-Dame de Paris*, *Les Misérables*, *Quatre-vingt-treize*, tout était condamné, défendu... J'allais refermer rageusement le livre lorsque au bas de la page un petit paragraphe attira mon attention. On y disait que *Bug-Jargal*, le premier roman d'Hugo écrit à l'âge de seize ans et dont par chance nous possédions un exemplaire à la maison, toujours dans la petite et si jolie collection Nelson, *n'était pas à l'index* ! Je tenais ma vengeance !

Mon frère reprit son livre.

« T'es trop content, toi, j'me méfie ! »

*

Avec un front de bœu que je crois ne plus avoir aujourd'hui, je me présentai le lendemain en classe avec mon exemplaire de *Bug-Jargal* que je n'avais même pas commencé à lire.

À l'école secondaire, la dernière période de la journée, de trois heures vingt-cinq à quatre heures et quart, si je me souviens bien, était libre : nous pouvions soit lire, soit faire nos devoirs, soit préparer nos cours pour le lendemain. J'aimais beaucoup cette période, mais j'étais le seul parce que les autres élèves, en général, détestaient lire, faire leurs devoirs ou préparer leurs cours du lendemain. Je suppose que sans le savoir, j'étais pour les autres élèves de dixième année C un téteux de la pire espèce...

Ce jour-là — ç'avait été une journée plutôt faste pour moi : malgré mon impopularité, parce que j'étais trop bon en français et que je passais, à tort ou à raison, pour être le chouchou du frère Léon, mes confrères de classe étaient venus me demander ce qui s'était passé la veille pour que le professeur se mette à être aussi bête avec moi et je m'étais complu à plusieurs reprises dans le récit détaillé de ma visite à l'église — ce jour-là, donc, à trois heures vingt-cinq, je sortis ostensiblement *Bug-Jargal* de mon pupitre, le tins à la verticale pour que le professeur le voie bien — le frère Léon était notre titulaire et veillait sur notre période libre chaque après-midi — et me mis à faire semblant de lire, tête penchée et front plissé.

Le frère Léon mordit très vite à l'hameçon, et moins de cinq minutes plus tard il s'approchait de mon pupitre, mine de rien, pour venir lire par-dessus mon épaule le titre du livre que je tenais entre mes mains.

« VICTOR HUGO ! »

Les vingt-neuf autres élèves de la dixième année C sursautèrent, quelques-uns poussèrent même de petits cris d'étonnement parce que c'était la première fois qu'on entendait le frère Léon élever autant la voix. Toutes les têtes se tournèrent dans notre direction.

Le frère Léon était livide. Il avait crié le nom de l'auteur de *Bug-Jargal* comme on se vide les poumons quand on reçoit un coup de poing dans le ventre, mais il n'arrivait plus à parler et je crus voir venir le moment où il s'écroulerait, mort d'apoplexie, à côté de mon pupitre.

Il me prit par le gras du cou, me souleva, me traîna vers la porte de la classe. Nous parcourûmes la distance entre la classe et le bureau du directeur en un temps record. Je tenais toujours le livre lorsque nous entrâmes dans le bureau du directeur.

L'explication fut longue, ardue, déchaînée, et, au bout du compte, humiliante. L'humiliation systématique des élèves était la grande spécialité, la grande force des frères de l'Instruction chrétienne, j'en eus une fois de plus la preuve ce jour-là. J'étais vainqueur parce que je pouvais leur prouver que *Bug-Jargal* n'était pas à l'index, mais eux représentaient l'autorité et ils en profitèrent largement : ils me traitèrent de prétentieux, de tête enflée, de tête folle, de tête de cochon ; ils menacèrent de me jeter hors de l'E.S.S.S. comme un indésirable — je voyais déjà ma mère mourir de mortification, elle qui se vantait partout de mes succès en classe —, ils prétendirent que j'avais une mauvaise influence sur les autres élèves alors que je ne parlais qu'à Réal Bastien que je connaissais depuis six ans et Jean-Claude Hamel qui était un des seuls élèves sympathiques de la classe ; ils me firent mettre à genoux et baisser les yeux pendant tout le temps qu'ils me couvraient d'injures.

J'avais osé leur tenir tête — en fait, j'avais osé avoir raison contre eux —, ils me le feraient payer cher. Je sortis de là sonné, déprimé, fou de rage malgré ma victoire et quelque peu inquiet de mon avenir à l'école secondaire Saint-Stanislas.

Ils pouvaient continuer à m'humilier, mais ils ne pouvaient pas m'empêcher de lire *Bug-Jargal* et je le lus en classe, quelques chapitres chaque jour, jusqu'au bout, sous le regard haineux du frère Léon qui n'en revenait pas, disait-il, de mon ingratitude envers lui qui m'avait jusque-là considéré comme un élève modèle.

Est-il besoin d'ajouter que mes notes de français s'en ressentirent malgré l'effort que je faisais pour améliorer la qualité de mes compositions et de l'attention maniaque que je portais à faire le moins de fautes possible durant les dictées ?

Ils n'en étaient pas à une injustice près et en profitèrent largement. Pour la première fois depuis des années, je ne fus pas premier en français pendant de longs mois. Ma mère fronçait les sourcils en recevant mon bulletin, le signait sans poser de questions, mais je sentais que je la décevais et, rongé de culpabilité, je réfugiais ma honte au fond de mon cœur. Je n'allais tout de même pas devenir délateur en plus !

Mais je me consolai bien vite par la lecture complète des romans de Victor Hugo !

ORAGE SUR MON CORPS

André Béland

C'était une vraie tempête de mars, une vilaine chose violente et toute mouillée qui ne laissait au sol que cette désespérante slotche brune, mélange de neige, de sable et de sel, moitié glace, moitié boue, désespoir des Montréalais quand arrive le printemps. Même les enfants, incapables de faire quoi que ce soit avec cette gadoue, trempés jusqu'aux os au bout de quelques minutes, détestent ce genre de neige et s'enferment dans les maisons.

Comme d'habitude à cette époque de l'année, on avait annoncé la tempête du siècle, mais ce qui nous tombait dessus n'était en fin de compte que le cauchemar du mois. Nous avions vu pire en février, mais sans la slotche, à cause du froid.

Tous les vendredis après-midi, l'école terminée, je prenais le trolleybus de La Roche, juste en face de l'école, pour me rendre à la Bibliothèque municipale. Il longeait le parc Lafontaine, empruntait la rue Amherst vers le sud à partir de Sherbrooke puis descendait dans ce que nous appelions «le bas de la ville». Ce jour-là — un jeudi et j'expliquerai plus loin pourquoi —, à cause de la neige qui tombait et de la boue brune et gelée qui n'avait pas encore commencé à fondre, l'énorme machine forçait, patinait, glissait en arrosant généreusement tous les passants qui, mouillés jusqu'aux sous-vêtements, nous montraient le poing.

Le trolleybus était un étrange compromis entre le tramway et l'autobus — un autobus électrifié comme un tramway, en fait — dont je n'ai jamais bien compris pourquoi on l'avait inventé: il brassait son monde comme un autobus ordinaire et était à la merci des pannes d'électricité comme le tramway, il faisait du bruit, des pluies d'étincelles aux intersections, on avait l'impression qu'il vous fonçait dessus quand il s'approchait du trottoir pour prendre des passagers, repartait trop vite, arrêtait trop brusquement; il avait tous les défauts des deux autres moyens de transport et aucune qualité propre. Personnellement, il me donnait mal au cœur et je l'aurais évité si j'avais pu. Mais mes fins d'après-midi du vendredi étaient consacrées à la Bibliothèque municipale et le trolleybus était le seul moyen de m'y rendre si je ne voulais pas y aller à pied.

Ce jour-là, il faisait une chaleur insupportable à l'intérieur du véhicule, les vitres étaient embuées, les passagers de mauvaise humeur et moi furieux d'avoir décidé de me rendre à la bibliothèque un jeudi plutôt qu'un vendredi. Mais j'avais une bonne raison.

*

Pendant mes deux dernières années d'abonnement à la salle des enfants, j'avais supplié qu'on fasse une exception pour moi, qu'on me monte à la salle des adultes, à l'étage supérieur. Parce qu'après six ans de fréquentation assidue, j'avais vraiment tout lu ce qui m'intéressait et je n'en pouvais plus de reprendre les mêmes maudits livres, semaine après semaine. Je dévorais tous les livres que Jacques recevait des éditions Rencontres, c'est vrai, mais la salle des adultes de la Bibliothèque municipale signifiait tellement plus: la totale liberté du choix! À moi les Rougon-Macquart *au complet*, pas juste *L'Assommoir*, toute la Comédie humaine, pas juste *Le Père Goriot*, et, surtout, *À la recherche du temps perdu* que je me mourais d'envie de lire!

Mais on refusait catégoriquement de combler mon souhait: ça ne s'était jamais vu qu'on donne la permission à *un enfant* de monter à la salle des adultes et ce n'était pas demain la veille qu'une telle chose se produirait, un point c'est tout!

J'avais donc vu venir mes seize ans avec grande excitation. Je comptais les semaines, les jours, je n'avais presque pas dormi la veille de mon anniversaire, et quand le 25 juin 1958 était enfin arrivé, je m'étais présenté dès le matin à la salle des adultes pour remplir mes premières fiches.

Le festin!

À l'exemple de ma grand-mère Tremblay, dans mon appétit de lire, je dévorais Bazin comme Balzac, Robert Choquette comme Musset, Anouilh comme Shakespeare, Pierre Benoit comme Camus, Christie comme Sand, sans discrimination, avec des préférences qui n'étaient pas toujours les bonnes, je suppose, mais ça n'avait aucune espèce d'importance, des coups de cœur inexplicables et une passion de la lecture qui frisait, selon maman, la maladie mentale.

«C'est ben beau de lire, j't'ai toujours encouragé, mais le crâne va te péter! Tu vas te rendre aveugle! Tu vas devenir gros comme un éléphant, tu bouges pas des grandes journées de temps ! Y fait si beau, sors un peu !

— Moman, c'qu'on nous fait lire à l'école est plate pour mourir, j'veux me faire une éducation tu-seul ! D'ici à ce que je retourne à l'E.S.S.S. en septembre, j'veux devenir quelqu'un qui connaît autre chose que la scène de Trissotin des *Femmes savantes*, pis la maudite tirade du nez !

— Tu connais déjà autre chose...

— J'en connais pas assez !

— Tu lis pas trop d'affaires défendues, là ?

— Pas trop... »

Oui, trop. Mais c'était tellement bon ! Découvrir Camus tout seul, se douter que quelque chose d'autre se cache sous l'anecdote de *La Peste*, fouiller les journaux, lire des critiques, sauter de joie en découvrant qu'on avait raison, que les rats n'étaient pas juste des rats...

L'été se passa dans un ravissement qui se renouvelait sans arrêt : six livres par deux semaines et des pas faciles ; des discussions sans fin avec Ginette Rouleau, Claude Sauvé, Richard Desrosiers, Gérard Sanchis ; des découvertes que je ne souçonnais pas et qui me jetaient par terre, des dégoûts qui m'étonnaient, que je ne m'expliquais pas : pourquoi est-ce que j'étais allergique à la prose sèche mais belle de Gide et que les phrases emberlificotées de Proust me pâmaient tant, même si je n'arrivais pas toujours à m'y retrouver tant elles étaient compliquées ?

Un gars que j'avais rencontré un soir au parc Lafontaine — ma vie sexuelle était cet été-là presque aussi active que mes lectures, maman avait donc tort de penser que je ne faisais pas d'exercice — m'avait parlé d'un roman «homosexuel» québécois paru pendant la guerre et intitulé en toute simplicité *Orage sur mon corps*; curieux de voir ce que ça pouvait donner, je décidai de l'emprunter à la Bibliothèque municipale s'il s'y trouvait un exemplaire. Je trouvais le titre plutôt pompeux et ridicule, mais un roman québécois *homosexuel*, il fallait que je lise ça!

Une surprise m'attendait.

Je me souviens très bien que la première fois que je remplis la fiche d'*Orage sur mon corps*, j'étais avec Ginette Rouleau. Nous avions le même âge, nous avions été «promus» à la salle des adultes à peu près en même temps et nous passions l'été de nos seize ans à lire au parc Lafontaine ou sur le balcon de l'appartement des Rouleau, sur la rue Fabre, des livres défendus qui faisaient notre bonheur. Me doutant quand même que les romans homosexuels ne devaient pas être très bien vus, je dissimulai ma fiche parmi d'autres moins compromettantes: quelques Agatha Christie, un Pierre Benoit, un Mauriac — quoique Mauriac...

Les bibliothécaires feuilletaient toujours nos fiches devant nous avant de quitter la salle, question de les mettre en ordre, probablement, pour ne pas perdre de temps ou ne pas faire trop de pas inutiles.

Je tombai évidemment sur la moins commode, qui se trouvait être la plus vieille des bibliothécaires, une dame sûrement gentille mais qui avait tendance à exprimer avec son visage ce qu'elle pensait de nos choix de lectures pendant qu'elle parcourait nos petits papiers. Le cœur battant, je lui donnai ma série de fiches qu'elle se mit à triturer, à mélanger, un peu comme si elle avait joué aux cartes. Arrivée à *Orage sur mon corps*, elle s'arrêta pile, la mit de côté sur le comptoir, me regarda en pleine face pendant de très longues secondes avant de me dire sèchement :

« Celui-là, y'est sorti ! »

Elle ne prenait même pas la peine de faire semblant d'aller à la recherche du livre, elle *décidait* d'elle-même que le livre était sorti ! Elle refusait de me le donner !

Je rougis jusqu'aux ongles d'orteils.

Elle me dévisagea encore assez longtemps avant de revenir à mes autres fiches, et je crus m'évanouir de honte.

Je ne parlais pas de mon homosexualité, à l'époque, je ne voulais pas faire de peine à mes parents ni à mes amis qui n'auraient peut-être pas compris, c'était donc la première fois que je me sentais jugé à ce sujet, et ce que j'avais lu dans son regard m'avait littéralement horrifié : le dégoût, le mépris et même, oui, la haine.

Je ne pouvais donc pas me confier à Ginette qui était tout à fait inconsciente de ce qui se passait, et je m'appuyai contre le comptoir pour ne pas tomber.

« Que c'est que t'as ? On dirait que tu vas exploser !

— Je sais pas... J'ai chaud, je pense. »

Une sorte de lutte silencieuse s'engagea à partir de ce moment-là entre la vieille bibliothécaire et moi. Elle voulait me juger? Elle allait avoir le loisir de le faire!

Je remplis la fiche d'*Orage sur mon corps* chaque fois que je visitai la Bibliothèque municipale pendant tout cet été-là, l'automne qui suivit et une bonne partie de l'hiver. J'attendais que ma bibliothécaire soit libre, je m'approchais, lui tendais mon paquet de petits papiers en la regardant droit dans les yeux. Et chaque fois elle répondait à mon regard, mettait la fiche maudite de côté sans la consulter, me disait: «Celui-là, y'est sorti» et partait avec les autres. Le fait que je lise ou non ce livre n'avait plus d'importance désormais, je voulais venir à bout du dragon de la Bibliothèque municipale et je prendrais le temps qu'il faudrait pour y arriver!

Évidemment, mon entêtement se retourna contre moi. Un bon jour, un vendredi d'hiver après l'école, elle me dit en détachant bien chaque syllabe:

«Celui-là, y'est sorti pis y sera toujours sorti pour toi! Entête-toi pas!»

C'était de la censure, je le savais, j'avais seize ans et je considérais que j'avais le droit de lire ce que je voulais, mais j'ignorais absolument comment me défendre. Et, en plus, je m'étais piégé moi-même: le petit jeu continuerait entre elle et moi aussi longtemps que je m'entêterais et je sentais qu'elle ne me donnerait jamais ce livre-là avant mes vingt et un ans, alors qu'elle n'aurait plus le choix. Et encore! Elle pouvait continuer à prétendre qu'il était sorti juste pour me faire chier! Mais j'avais dans ma tête de cochon de ne pas acheter le livre, d'obtenir l'exemplaire de la Bibliothèque municipale, et il n'était pas question que j'abandonne...

Je finis par apprendre, je ne sais plus trop comment, que ma bibliothécaire favorite ne travaillait pas le jeudi, voilà pourquoi je me retrouvai dans un trolleybus de La Roche en pleine tempête de neige un jour qui n'était pas un vendredi.

*

La Bibliothèque municipale était complètement vide. J'étais bien le seul assez fou à Montréal pour traverser une partie de la ville dans une tempête, en trolleybus en plus, à la recherche d'un exemplaire d'*Orage sur mon corps* d'André Béland !

Les trois bibliothécaires, jeunes et jolies, jasaient, appuyées contre les tables de bois qui leur servaient de bureau de travail ou assises sur ces chaises droites, inconfortables, dont je comprenais pour la première fois la présence, parce qu'habituellement les employées de la bibliothèque étaient soit en train de consulter les fiches que remplissaient les abonnés, soit parties dans les hauteurs de l'édifice à la recherche des livres demandés.

Elles me regardèrent toutes les trois marcher vers le pan de mur de petits tiroirs de bois. J'étais conscient que trois paires d'yeux de jeunes filles me détaillaient et j'avais l'impression de marcher tout croche. J'espérais, c'était la première fois de ma vie que ça m'arrivait et j'en étais profondément humilié, ne pas avoir l'air trop efféminé. Je me dirigeai tout de suite vers la lettre B. Je crus, du coin de l'œil, les voir pouffer de rire, mais je n'en étais pas sûr ; il ne fallait pas me laisser emporter par la paranoïa, la ville de Montréal au grand complet n'était tout de même pas au courant que j'étais à la poursuite de ce livre depuis des mois !

Comme d'habitude, je dissimulai la fiche d'*Orage sur mon corps* parmi d'autres qui m'intéressaient moins — je crois même que j'étais descendu, quelle lâcheté, jusqu'à demander un Berthe Bernages, que je ne pouvais pourtant pas souffrir, juste pour amadouer la jeune fille au cas où elle aurait su ce que recelait le livre d'André Béland — puis, prenant mon courage à deux mains, m'approchai du comptoir.

La plus jeune, appuyée tout près, tendit la main en souriant — fiou ! je m'étais affolé pour rien —, prit les livres que je rapportais, les étampa, prit les fiches, les détailla sous le regard insistant de ses consœurs de travail qui se tortillaient un peu sur leur chaise. Peut-être usaient-elles de ce même manège chaque fois qu'un jeune homme se présentait... Arrivée à *Orage sur mon corps*, cependant, elle se raidit un peu, rougit tout d'un coup, regarda les deux autres bibliothécaires avec l'air de dire : qu'est-ce que je fais, puis me dit, sur un ton plus doux que le dragon mais sans me regarder :

« Je regrette, celui-là est sorti ! »

Je ravalai ma salive en produisant un bruit de déglutition qui dut s'entendre jusque dans la rue Sherbrooke. Que faire ? Je ne pouvais tout de même pas me sauver en courant ! Il fallait dire quelque chose. Absolument.

Hurler à la censure ? Leur montrer en tout cas, faire semblant plutôt, que je n'avais pas peur.

« Y'est-tu sorti juste pour moi, 'coudonc ? Ça fait des mois que j'essaye de l'avoir ! »

Elle avait toujours les yeux baissés sur la fiche, comme si elle n'avait su qu'en faire.

« Y'est toujours sorti, comme vous dites, pour les hommes en bas de vingt et un ans. C'est un ordre de la direction. »

J'étais tellement furieux, tout à coup, que j'aurais pu sauter par-dessus le comptoir pour aller l'étrangler. Je n'avais plus peur, je n'avais plus honte, j'étais juste enragé noir ! Mais elle n'était pas responsable, elle exécutait les ordres, excuse usée jusqu'à la corde mais toujours efficace, alors j'étais impuissant. Je me penchai vers elle :

« Ça veut dire que vous le donnez aux femmes ?

— Y'en a pas beaucoup qui le demandent...

— Mais si j'étais une jeune fille de mon âge, vous me le donneriez ?

— Je suppose que oui...

— Ben, si j'ajoute lle à mon nom...

— Écoutez, je sais que vous êtes un gars...

— Mais vous vous ferez pas prendre, la fiche va dire que j'étais une fille !

— Insistez pas, j'ai pas le droit de faire ça ! »

Je lui arrachai la liasse de fiches.

« Laissez faire, d'abord, j'vas me passer de lecture ! »

Et je sortis le plus dignement possible.

La seule qui aurait pu me sauver était donc Ginette Rouleau, mais je n'étais pas prêt à partager mon secret avec elle...

Voilà pourquoi je n'ai jamais lu *Orage sur mon corps* !

VOL DE NUIT

Antoine de Saint-Exupéry

Avant d'amorcer ce récit qui eut autant d'influence sur moi que la découverte de la tragédie grecque, j'aimerais raconter une anecdote qui me rendit fou de jalousie il y a une vingtaine d'années.

Nous mangions, des amis et moi, comme tous les soirs après le spectacle, chez Giuseppe, un excellent restaurant italien de la rue Notre-Dame que la communauté théâtrale de Montréal fréquenta pendant quelques années, de la fin des années soixante au milieu des années soixante-dix.

Ce soir-là s'étaient joints à nous — *nous*, c'était le nœud bruyant, pas souvent subtil mais toujours hilare, de notre jeune et joyeux groupe de fêtards: Brassard qui apprenait avec réticence à manger autre chose que des hamburgers, Claude Gai, mon complice, chaque soir, dans la dégustation d'un *carbonara*, la merveilleuse Denyse Filiatrault se dépêchant comme d'habitude de manger pour aller surveiller son propre restaurant, Christine Olivier, Robert L., mon chum de l'époque, John Goodwin, qui veillait déjà sur nous tous comme une mère, et Camille me disant de temps en temps: «Mange pas trop, Michel, tu vas encore passer la nuit à croquer des Diovol!» — s'étaient joints à nous, donc, le poète et auteur dramatique Michel Garneau et la comédienne Michelle Rossignol qui venait de reprendre avec brio le rôle de Pierrette Guérin dans *Les Belles-sœurs* (nous étions en 1971).

Nous racontions nos enfances, Brassard sur la rue des Érables, Denyse sur la rue Cartier, John à Québec, Camille à Chicoutimi, moi sur la rue Fabre que j'avais déjà commencé à piller sans vergogne, quand Michel Garneau se mit à nous raconter que lorsqu'il était très petit, un monsieur français était venu visiter ses parents, à Québec. Ce monsieur français l'avait un jour pris sur ses genoux et lui avait décrit un livre qu'il préparait, l'histoire d'un petit prince qui vivait sur une minuscule planète en compagnie d'une rose, d'un serpent, d'un renard... Nous étions tous estomaqués. Saint-Exupéry lui-même lui avait raconté *Le Petit Prince*! Michel s'était assis sur les genoux d'Antoine de Saint-Exupéry! Comment était-il? Gentil? Bête? Prétentieux? Simple? Se prenait-il pour un grand écrivain, ou avait-il la simplicité des vrais...? Buvait-il autant qu'on le disait? Avait-il coupé autant de cravates que la légende le prétendait...?

Un silence avait suivi les explications de Michel Garneau, abondantes, pertinentes, chaleureuses comme toujours — Michel est un fin conteur —, puis j'avais déclaré que la seule célébrité que j'avais entrevue, moi, quand j'étais enfant, était Ginette Raynault (avant qu'elle s'appelle Reno), qui faisait les quatre cents coups à travers la paroisse et que je croisais de temps en temps, sans oser lui parler parce qu'elle était déjà imposante, au centre Immaculée-Conception...

Comme d'habitude, j'avais noyé mon malaise — une jalousie, en fait, une vraie qui serre le cœur, qui pique et ankylose le plexus solaire — dans l'autodérision.

*

Je me souviens d'une grippe carabinée, les sinus bloqués, le cerveau cotonneux, le nez usé par des mouchoirs pourtant rendus très doux grâce à un nombre incalculable de lavages à la main, d'une journée de printemps lumineuse mais que j'avais peine à dévisager tellement mes yeux piquaient, de l'inévitable soupe au poulet de ma mère et d'un livre de poche posé à l'envers sur mon lit.

C'était quelques mois après l'incident d'*Orage sur mon corps*. Mal remis de mon humiliation, j'avais commencé à m'acheter des livres de poche pour éviter de me présenter trop souvent devant celles que j'appelais désormais «mes tortionnaires», et je m'enorgueillissais déjà du fait que la troisième tablette de la bibliothèque à partir du bas m'appartenait: j'y emmagasinais tout ce que j'avais l'intention de lire et que je me doutais qu'on refuserait de me prêter à la Bibliothèque municipale: Wilde, Proust, Genet, *Le Satiricon* —, tout ça, bien sûr, mélangé à autre chose pour ne pas attirer les soupçons de mon frère ou de ma mère. Mon aventure avec le dragon de la Bibliothèque municipale s'était donc avérée positive, en fin de compte, puisque j'apprenais à chérir des livres qui m'appartenaient en propre. Je regardais mon rayon de bibliothèque et je me disais:

«Tout ça est à moi, rien n'a été emprunté!»

Très peu d'entre eux étaient neufs, aucun n'était matelassé, mais ils étaient à moi !

Mes textes avaient déménagé, et c'est désormais pliés en huit que je les dissimulais, enfouis entre les pages caressantes du *Portrait de Dorian Gray*, les dialogues sulfureux des *Bonnes* ou la fameuse orgie du *Satiricon*.

J'étais tombé sur *Vol de nuit* dans un tas de vieux livres de poche au rabais, à la mezzanine de Dupuis Frères. Dix cents le livre, trois livres pour vingt-cinq cents. J'avais bien aimé *Le Petit Prince* quand j'étais enfant, mais je n'avais rien lu d'autre de Saint-Exupéry, peut-être parce qu'on le tenait en trop haute estime chez les frères de l'Instruction chrétienne...

Et ce matin-là, terrassé par la grippe, j'avais choisi ce bouquin parce qu'il était imprimé en grosses lettres et qu'il contenait peu de pages... Vite lu, vite réglé, c'était parfait pour une journée de grippe. Je ne me doutais pas de la surprise qui m'attendait ni qu'avant la fin de la journée je ne serais plus le même.

J'ai lu *Vol de nuit* trois fois ce jour-là. En fait, je l'ai lu deux fois complètement et, la troisième, je suis revenu sur les passages qui m'avaient le plus frappé, soulignant des pages entières, inscrivant des commentaires dans les marges, cornant les coins pour me retrouver plus facilement.

C'était la première fois que je lisais un roman qui ne racontait pas vraiment une histoire, et je m'étais d'abord méfié. Trois avions partis de trois coins perdus d'Amérique du Sud pour apporter à Buenos Aires le courrier à destination de l'Europe, un patron baveux, un inspecteur mou et flagorneur, un orage, oui, bon, okay mais où était l'histoire ? Puis la beauté des paysages décrits — dans le premier chapitre on survolait la Patagonie au lieu de la traverser comme dans *Les Enfants du capitaine Grant* et j'avais vraiment l'impression de planer au-dessus de la Cordillère des Andes, avec le jour qui se couchait derrière moi et la nuit menaçante et pleine de mystère qui s'avançait ; l'atmosphère palpable, sensuelle de ce récit qui, au lieu de nous raconter une anecdote, nous faisait vivre ce que ressentaient les personnages — le défaitisme parfaitement contrôlé de Fabien dont l'avion est précipité dans la mer, l'amour des deux femmes, mêlé de la crainte de les perdre, pour leurs maris sans cesse en danger parce que pionniers dans l'aviation commerciale de nuit ; la façon unique que l'auteur avait de fouiller l'âme des protagonistes comme si sa plume avait été un bistouri et la somptuosité du style, surtout ça, je crois, cette façon si personnelle de jouer avec les mots, avec les phrases, eurent vite fait de me clouer dans mon lit, désormais indifférent à ma grippe et accroché à mon livre comme à un cerf-volant qui allait me permettre de m'élever à des hauteurs que je ne soupçonnais pas jusque-là.

J'avais commencé depuis longtemps à regimber pendant les cours de français, à me révolter devant le simplisme du style qu'on nous imposait pour nos compositions : sujet, verbe, complément, et dans cet ordre, s'il vous plaît. Le moins d'inversions possible, elles brouillaient le sens de la phrase, et pas d'incises : si on sentait le besoin de mettre un bout de phrase entre deux virgules, c'était souvent parce que ce bout de phrase allait ailleurs, *à sa vraie place*!

Tout ça, je suppose, était bon pour les élèves, et c'était la majorité, que les compositions françaises ennuyaient à mourir. Mais moi qui adorais écrire, qui écrivais déjà tout seul dans mon coin des contes fantastiques au cœur desquels j'essayais de dissimuler mes doutes et les hésitations de mon âme, moi qui secrètement rêvais d'être publié un jour, ces directives bêtes, ces exigences restrictives me choquaient profondément et m'empêchaient, même caché dans mon coin pour écrire, de fonctionner, de produire comme je l'aurais voulu.

Mes professeurs — même le redoutable frère Léon — me permettaient bien quelques incartades parce qu'ils me trouvaient quelque talent dans ce qu'ils appelaient «la manipulation correcte de la langue française», mais lorsqu'ils jugeaient que j'avais dépassé les bornes, ils me remettaient mes copies bardées de rouge et de commentaires dans les marges. «Refaites-moi ça, ce n'est pas digne de vous.» «Aviez-vous la fièvre quand vous avez pondu ce torchon?» «Au lieu de vous perdre dans la lecture de *Notre-Dame de Paris* ou de *Bug-Jargal*, lisez donc Félix Leclerc!» «Une âme *claire* s'exprime dans une langue *claire*!» Ils devaient bien se douter, pourtant, depuis l'incident de *Bug-Jargal* justement, que mon âme n'était pas claire et que je n'aurais jamais voulu qu'elle le soit!

Saint-Exupéry n'était pas le premier écrivain dont je remarquais le style, bien sûr, mais ses phrases courtes et en même temps souvent audacieuses dans leur structure m'ouvraient des portes que les frères de l'Instruction chrétienne avaient tenues bien fermées. Par exemple, il écrivait : « Robineau, debout auprès de lui, fixant toujours, droit devant lui, la carte, peu à peu se redressait », ou encore cette phrase qui m'intéressa particulièrement : « Il reposait dans ce lit calme, comme dans un port, et, pour que rien n'agitât son sommeil, elle effaçait du doigt ce pli, cette ombre, cette houle, elle apaisait ce lit, comme, d'un doigt divin, la mer. » Toute l'hésitation de la femme du pilote de nuit qui n'ose pas encore réveiller son mari parce qu'elle a peur de le perdre chaque fois qu'il part livrer le courrier d'Europe était dans la structure même de la phrase autant que dans les mots choisis pour l'exprimer ! Les bouts de phrase s'entrechoquaient, les virgules se succédaient, coupaient la pensée, on sentait l'inquiétude, la nervosité de cette femme qui trouvait anormal de réveiller son mari à une heure pareille — en pleine nuit — pour qu'il aille traverser l'océan Atlantique en pleine noirceur...

Si j'avais osé construire une phrase comme celle-là, le frère Léon aurait probablement inscrit en marge de mon papier : « Était-ce bien nécessaire ? Redressez-moi ça, cette phrase-là ! C'est pas une phrase, c'est un puzzle ! » Pourquoi Saint-Exupéry avait-il le droit de contourner les règles si strictes de la langue française et pas moi ? J'avais envie, moi aussi, de tout revirer à l'envers, de brasser la cage, de trouver une façon qui deviendrait la mienne de détourner tout en les utilisant les lois qu'on m'inculquait depuis dix ans ! Et dont je respectais la grande utilité sans toutefois avoir envie de les appliquer à la lettre dans un incessant ronron de phrases bien faites mais plates comme un dimanche après-midi pluvieux !

Vol de nuit était également le premier livre que je lisais dans lequel le personnage principal finissait par être antipathique à force de droiture, de refus de toute concession, de toute faiblesse : j'ai rarement autant détesté un personnage que ce Rivière tout en comprenant ses raisons d'être ce qu'il était. Cette conscience que Rivière avait d'être injuste et les justifications qu'il se donnait à lui-même étaient comme deux vagues d'égale force entre lesquelles je restais pris, même après trois lectures, sans trouver le moyen de les concilier, de les faire se fondre l'une dans l'autre. Je comprenais intellectuellement le refus de Rivière des sentiments trop humains — la sympathie, la pitié —, qui pouvaient se jeter dans le chemin du rendement de ses hommes, mais je refusais qu'un chef écarte à ce point l'admiration et surtout l'amitié des hommes qu'il dirigeait uniquement pour les pousser vers l'inaccessible perfection.

Je commençais vaguement à comprendre pourquoi les frères de l'Instruction chrétienne admiraient tant Saint-Exupéry — le message humanitaire qu'il charriait était très près de certains dogmes chrétiens — mais une différence marquée coupait irrémédiablement le grand écrivain de mes pathétiques professeurs : le personnage de Saint-Exupéry était sans merci pour ses hommes par amour de l'humanité, par volonté de voir l'être humain se dépasser en traversant les mers en avion *la nuit* à une époque où ça ne se faisait pas encore, alors que les frères de l'Instruction chrétienne étaient sévères avec nous par pur besoin de nous humilier, de nous donner des « leçons », de faire de nous des « exemples », de nous transformer, malgré nous s'il le fallait, en bons catholiques, de nous faire ressentir ce détestable sentiment qui a toujours gangrené le catholicisme : la culpabilité. Tout le temps. Pour tout. Partout.

Je sortis tous mes textes dissimulés dans les livres de poche et les relus fiévreusement. Je ne voulais pas les comparer à Saint-Exupéry, bien sûr, je n'avais pas cette prétention, j'avais plutôt l'intention de vérifier si je n'avais pas trop suivi les directives de mes professeurs, si mon style n'était pas trop « ordinaire », respectueux des règles, fade à mourir d'ennui par pure peur de l'audace dont on m'avait montré à me méfier depuis toujours.

Et aussitôt ma grippe terminée, malgré le soulagement que j'avais ressenti en les relisant — je ne les avais pas trouvés si mal, après tout —, je me mis à récrire mes contes fantastiques d'un bout à l'autre en me laissant, cette fois, aller complètement à mon imagination et en essayant de ne pas trop penser à mon Grevisse pendant que j'écrivais.

Et lorsque l'envie me prenait d'écrire un nouveau conte, je plaçais *Vol de nuit* à côté de moi sur ma table de travail. Sans le consulter, bien sûr, je ne voulais pas copier Saint-Exupéry, mais juste pour me confirmer dans ma conviction que mes professeurs avaient tort et qu'un ami audacieux veillait sur moi.

Je développai ainsi deux styles complètement différents : un pour l'école parce que je voulais que mes notes continuent à être hautes — surtout que j'avais intérêt à me tenir tranquille depuis *Bug-Jargal* —, l'autre, plus baroque, infiniment plus personnel, pour moi tout seul, comme un cadeau.

Ça a donné ce que ça a donné, mais, au moins, ça me ressemblait.

CONTES POUR BUVEURS ATTARDÉS

Michel Tremblay

Entre l'âge de seize et de dix-neuf ans, j'avais donc commis une quarantaine de contes fantastiques réunis sous le titre un peu pompeux et pas très séduisant de *Contes gothiques*.

Je voulais évidemment faire référence à cette école anglo-saxonne de romans dits *Gothic novels* encore très populaire aux États-Unis, surtout fréquentée, semblait-il, par des femmes qui voulaient s'évader de leur quotidien en se réfugiant dans des histoires abracadabrantes aux limites du fantastique : philtres d'amour, malédictions familiales, fantômes violents ou simplement geignards, trésors fabuleux, secrets jalousement gardés et dramatiquement dévoilés, mariages consanguins avec leurs étonnantes conséquences, belles héroïnes, héros encore plus beaux et, bien sûr, fin heureuse. Mes contes à moi s'approchaient plus franchement de Poe, de Jean Ray, de Lovecraft, de Hoffmann, de Stoker, des auteurs pas « gothiques » du tout donnant franchement dans l'horreur bien sanglante, mais je trouvais que ce titre sonnait bien et j'essayais de l'imposer à mon entourage. Qui lui résistait.

Nous étions en 1965, je venais d'avoir vingt-trois ans et j'avais dans mes tiroirs un manuscrit qui moisissait depuis déjà trois ans ! Mais j'hésitais à le faire lire par un éditeur et mes nouveaux amis, André Brassard, Louise Jobin, François Laplante, Ginette Lefebvre, commençaient à me reprocher gentiment — mais fermement — de ne pas me grouiller assez le cul pour être publié. Ils avaient bien sûr raison, mais le même sentiment d'indignité qui m'avait empêché de soumettre ma pièce *Le Train* au Concours des jeunes auteurs de Radio-Canada pendant des années parce que je n'avais pas fait d'études classiques — concours que j'avais d'ailleurs fini par gagner en 1964, justement avec cette pièce — me minait encore et j'étais incacable de prendre mes contes, de les glisser dans une enveloppe, d'adresser cette enveloppe à un éditeur: pour qui je me prenais, moi simple linotypiste, pour vouloir imposer ma timide et ridicule prose au reste du monde? Il y avait déjà assez d'écrivains qui crevaient de faim! Et qui s'intéresserait à une littérature fantastique québécoise? De toute façon, personne ne serait assez fou pour publier ça et je n'étais pas assez fort pour affronter un refus, alors pourquoi insister? Et même rêver? Mes rêves ne me mèneraient nulle part, j'en avais déjà eu la preuve...

Le Concours des jeunes auteurs n'avait pas eu de suites, je venais de terminer une pièce, *Les Belles-sœurs*, que Brassard essayait en vain d'imposer aux quelques personnes qu'il connaissait dans le milieu théâtral de Montréal — le Dominion Drama Festival venait d'ailleurs de la refuser: deux des trois juges du comité de lecture l'avaient trouvée monstrueuse et vulgaire —, alors je commençais sérieusement à songer à poser la plume et à me pencher d'une façon définitive sur ma machine à fondre le plomb. Après tout, je souffrirais peut-être moins si je cessais d'avoir des velléités de devenir écrivain...

De plus, tout le monde autour de moi était d'accord pour dire que *Contes gothiques* était un titre pourri, qu'aucun éditeur ne lirait un manuscrit affublé d'un titre semblable. J'avais beau chercher, je ne trouvais pas mieux.

Un soir, dans un petit restaurant de la rue Papineau face au parc Lafontaine, tout près de Sherbrooke, Brassard et Louise Jobin m'avaient pour la première fois sérieusement engueulé, et j'étais revenu à la maison désespéré : le terrible mot *raté* avait cette fois été prononcé. Ils ne m'avaient pas dit que j'étais un raté, ils ne le croyaient pas encore, mais ils m'avaient brossé un tableau assez terrible de la vie qui m'attendait si je laissais tout tomber ; ils avaient évoqué, exhibé le spectre d'une vie gâchée sans rémission, d'un regret rongeur, inextinguible, qui me dévorerait pendant toute mon existence, et je les avais écoutés en ressentant déjà, tant ils étaient convaincants, le pincement du remords, de la hargne et de l'amertume qui m'attendaient au détour des années. Avaient-ils préparé leur coup, ou bien tout ça était-il sorti tout seul par hasard ce soir-là, par pure amitié ? Je l'ignorais, mais je leur sus gré de m'avoir brassé, de m'avoir provoqué pour me faire réagir.

En effet, allais-je continuer à puncher ma carte de présence tous les soirs à l'imprimerie pendant qu'eux, éventuellement, finiraient par se creuser une niche dans l'histoire du théâtre à Montréal ? Brassard commençait déjà à se faire une réputation de jeune génie étrange et arrogant, les regards finiraient bien par se poser sur les êtres de moindre importance qui l'entouraient... Qu'allais-je pouvoir répondre à ces regards : que je n'étais qu'un linotypiste égaré dans le milieu culturel, que je me contentais de diriger le fan club du *boy wonder*? Mes amis avaient raison, il fallait que je fasse quelque chose. Et vite. Ça commençait à presser. J'avais vingt-trois ans, il fallait que quelque chose arrive avant qu'il ne soit trop tard! Il fallait prouver, une fois pour toutes, que j'étais quelqu'un, même si j'en doutais grandement.

J'avais rencontré Brassard quelques années plus tôt. Nous avions été plus que des amis, nous étions désormais des complices inséparables, assoiffés du même besoin de culture, qui lisaient les mêmes livres et se garrochaient aux mêmes spectacles et aux mêmes films avec un enthousiasme et une excitation qui ne connaissaient pas de bornes. Nous laissions savoir notre enthousiasme quand nous aimions une chose et manifestions bruyamment notre mécontentement et notre mépris quand nous étions déçus. Nous allions au cinéma presque chaque après-midi (je travaillais à l'Imprimerie Judiciaire de cinq heures à une heure du matin, le même horaire qu'avait connu mon père pendant une grande partie de sa vie), André venait parfois me reconduire à mon travail en soulignant ironiquement que l'imprimerie, ça sentait bien bon mais ça ne menait nulle part...

Mais, heureux hasard, l'Imprimerie Judiciaire appartenait aux Éditions de l'Homme qui publiaient à ce moment-là les livres les plus populaires, les plus lus du Québec! Aussi le message de Louise et d'André était-il clair et de plus en plus insistant: pourquoi est-ce que je ne profiterais pas de ma présence à l'intérieur d'une des maisons d'édition les plus importantes du Québec pour me faire publier? Ça pourrait peut-être faciliter les choses! Moi, je croyais plutôt le contraire. Et j'avais d'excellentes raisons...

Il faut dire aussi que j'étais le weirdo de l'Imprimerie Judiciaire. J'y avais été accepté uniquement parce que mon frère Bernard y travaillait depuis toujours, c'était un cadeau qu'on lui avait fait, une concession, et je crois qu'on l'avait regretté assez tôt. Pas parce que je ne travaillais pas bien, j'accomplissais honnêtement ma tâche, mais parce que j'étais trop différent des autres, que je ne me mélangeais pas à ce groupe homogène (et homophobe) de travailleurs de l'imprimerie, ces aristocrates du milieu ouvrier qui attendaient en vain ma soumission et mon serment d'allégeance pour m'accepter en leur sein. Mais je travaillais le soir — nous n'étions que deux à le faire — et ils ne me connaissaient que très peu. En 1964, après la victoire du *Train* et sa diffusion à la télévision, ils s'étaient moqués de moi plutôt que de me féliciter et s'étaient mis à m'appeler «la vedette d'un soir», ce qui m'avait d'autant plus heurté que je n'étais pas loin de penser la même chose de toute cette histoire... Je ne comprenais pas très bien, cependant, pourquoi tant de moqueries pour un confrère de travail qui venait quand même de gagner un prix littéraire important! Ils avaient peut-être deviné mon homosexualité et avaient trouvé cette façon détournée de me rejeter...

Je détestais la linotypie. Je crois bien que j'avais choisi ce métier, en troisième année à l'Institut des arts graphiques, pour faire plaisir à ma mère qui était inquiète de mon avenir, et parce que je savais qu'il était appelé à disparaître sous peu. Je laissais déjà au destin la tâche de décider de ma vie! Trente ans plus tard, ce métier n'existe d'ailleurs à peu près plus.

Je m'étais piégé moi-même: maman était morte rapidement tout de suite après mon entrée à l'Imprimerie Judiciaire et je restais prisonnier d'un choix qui faisait de moi un ouvrier très bien payé mais un être humain désespérément malheureux. Maman avait été fière de moi avant de mourir parce qu'elle croyait mon avenir assuré, mais moi je m'étais retrouvé devant un tunnel dont je ne voyais pas le bout.

En tant que dernier linotypiste entré à l'Imprimerie Judiciaire, on m'avait bien sûr confié le travail le plus ennuyant, le plus routinier: je composais chaque soir le *Court House*, le journal de la Cour (eh oui! il portait un nom anglais); je passais mes soirées à transformer en lignes de plomb des noms de défendeurs, de demandeurs, des adresses, des numéros de téléphone, des numéros de causes et des codes dont j'ignorais absolument la signification. Mais j'avais parfois l'occasion, quand le *Court House* n'était pas publié ou les feuillets à copier trop peu nombreux, de composer sur ma linotype des chapitres de romans ou de guides pratiques; c'était des moments de grande détente après les listes horriblement répétitives du journal de la Cour. C'est ainsi, par exemple, que je fis la connaissance d'*Agaguk* d'Yves Thériault qu'on publiait pour la première fois en un seul volume, et dont j'ai composé une grande partie de l'édition qui est encore disponible aujourd'hui... J'étais rapidement passé maître dans la copie des colonnes de chiffres du *Court House*, que la moindre faute d'inattention pouvait gâcher, et, tendu, nerveux, pressé d'en finir, j'abattais mon travail en quelques heures sans presque jamais commettre d'erreurs. Quand arrivait ma demi-heure de lunch, de dix heures à dix heures trente, j'avais souvent terminé ma soirée et, pour me détendre et passer le temps, j'allais écrire dans le bureau de Noël Lespérance, mon patron. C'est ainsi que j'ai pondu *Les Belles-sœurs* au complet entre dix heures du soir et une heure du matin, en août et septembre 1965, en volant du temps à l'Imprimerie Judiciaire ! J'étais sans m'en douter le seul auteur québécois payé à écrire *pendant qu'il écrivait* !

Je pris donc mon courage à deux mains et, à l'automne 1965, quelques semaines après ma conversation avec Louise et André, je fis parvenir mon manuscrit aux Editions de l'Homme. Je l'avais complètement revu, corrigé et, je l'espérais, amélioré. J'avais déjà l'habitude de dater tous les textes que j'écrivais ; chaque conte portait donc une date entre 1959 et 1962. Les plus vieux avaient déjà six ans, ça paraissait mal ; je décidai donc de «rajeunir» mon manuscrit en rapprochant le plus possible de 1965 le moment de l'écriture de chacun des textes. (Cette inexactitude ne fut d'ailleurs rectifiée qu'à la publication des contes en livre de poche, au milieu des années quatre-vingt.) Je faillis aussi utiliser un pseudonyme pour qu'on ignore que c'était un des employés de l'imprimerie qui avait le toupet de remettre ce manuscrit, puis je me dis que je n'avais pas à avoir honte, que je devais faire face à mes responsabilités et assumer mes gestes. Et c'est sous mon vrai nom dactylographié en lettres majuscules et même souligné que je soumis mes contes si peu gothiques au comité de lecture des Éditions de l'Homme.

Mais j'avais la chance de me trouver dans une situation privilégiée : comme employé du soir de l'Imprimerie Judiciaire où étaient édités, imprimés, reliés les livres des Éditions de l'Homme, j'avais en effet accès aux bureaux et pouvais être en quelque sorte témoin de l'évolution de mon propre dossier... C'est ainsi qu'un bon soir je vis apparaître mes *Contes gothiques* sur le bureau d'Alain Stanké, le nouveau directeur de la maison d'édition, sous une pile d'autres manuscrits récemment reçus. Quelle émotion ! Mais allait-il seulement les lire jusqu'au bout ? Ne les mettrait-il pas de côté au bout de quelques pages en se disant qu'il n'y avait pas de littérature fantastique au Québec parce que ça n'intéressait personne ? Pourquoi, en effet, se donner la peine de publier un livre condamné d'avance à ne pas être lu ? Ne viendrait-il pas en plus me lancer tout ça à la figure en plein *Court House* en se moquant de mes prétentions ? Dans ma paranoïa, je l'entendais déjà me crier que j'étais un ouvrier et que je devais le rester !

Je pouvais reprendre mon manuscrit si je voulais, personne ne s'en rendrait compte. Il était là, sur le bureau, au milieu d'autres textes condamnés au même sort, je n'avais qu'à étirer le bras et repartir avec... Choisir de rester dans l'ombre de Brassard en continuant de bien gagner ma vie comme linotypiste... Rester un éternel néophyte... Un dilettante... Un *amateur.*

La tentation fut forte, mais je résistai en me disant que de toute façon, je ne risquais rien, que je n'avais tout de même pas signé *Michel Tremblay, employé de l'Imprimerie Judiciaire, frère de Bernard Tremblay*, que le comité de lecture des Éditions de l'Homme, étranger à la vie de l'atelier, n'avait sûrement jamais entendu parler de moi, qu'il me jugerait d'une façon objective, comme n'importe quel autre auteur. Le pire qui pouvait m'arriver, après tout, était qu'on refuse de publier mon livre. J'en mourrais mais, au moins, j'aurais essayé et mes amis m'enterreraient en me respectant!

*

Je fus de longs mois sans recevoir de nouvelles officielles des Éditions de l'Homme. Chaque soir j'allais fureter dans le bureau d'Alain Stanké en rêvant de trouver mon manuscrit ouvert sur la table de travail de l'éditeur, couvert de commentaires d'appréciation inscrits au crayon rouge comme à l'école... Ou alors j'espérais ne pas le trouver parce qu'on l'aurait fait parvenir à un spécialiste qui l'analyserait en profondeur tout en se pâmant sur ma grande imagination et l'originalité d'écrire un livre dans un genre méconnu au Québec... Mais il restait désespérément à la même place au milieu de la pile de manuscrits, et je finis par croire qu'on l'avait complètement oublié. Ou qu'on faisait comme si. Un indésirable dont on ne savait pas quoi faire et qu'on laissait traîner dans l'espoir que l'auteur finirait par comprendre qu'il ne fallait pas insister, que la littérature n'était pas son métier et qu'un jour, peut-être, on lui renverrait son texte.

Parfois je voyais un manuscrit posé dans la corbeille «sortie» d'Alain Stanké. Je le prenais, le feuilletais. Une lettre de refus, polie mais ferme, toujours la même, était attachée à la page de garde et je me disais que c'était éventuellement comme ça que le mien me serait retourné.

Puis je me rendis compte qu'on s'était remis à parler dans mon dos à l'imprimerie, que les moqueries prononcées à voix basse quand j'arrivais vers cinq heures moins cinq pour puncher ma carte de présence étaient revenues comme à l'époque du *Train*. On ne me regardait plus en face, on me disait: «Salut, l'artiste!» en retenant des fous rires et en faisant des clins d'œil. Mon manuscrit avait donc été lu et la nouvelle s'était répandue dans l'atelier. C'était un mauvais signe.

Noël Lespérance, qui venait nous dire bonjour chaque après-midi, à Marcel, mon compagnon de travail, et à moi, était rouge de gêne et j'avais de la difficulté à comprendre ce qu'il me baragouinait. J'avais envie de lui crier: «Oublions tout ça, allez donc chercher mon manuscrit, redonnez-le-moi pour que je le déchire devant vous si ça peut vous faire plaisir, dépensez pas un timbre pour rien!» Mais je ne disais rien, gêné moi aussi jusqu'à la paralysie. Je nettoyais les petits instruments de métal qui servaient d'espaces entre les mots dans les lignes de plomb, je feuilletais les pages du *Court House* que j'aurais à copier ce soir-là, je jasais un peu avec Marcel, je vérifiais si j'avais assez de plomb fondu dans mon creuset pour commencer ma soirée, l'imprimerie se vidait, je partais ma linotype, m'assoyais, le désespoir au cœur et la nausée me barbouillant déjà l'estomac même si je n'avais pas encore mangé. Déjà fini, le rêve? Les *Contes gothiques* refusés, *Les Belles-sœurs* jugées trop vulgaires pour être produites... Je me voyais vieillir dans la chaleur et l'odeur du plomb fondu, je m'imaginais atteint de saturnisme, la maladie des linotypistes causée par l'inhalation des sels de plomb, je posais le premier feuillet du *Court House* devant moi: un tel de telle adresse contre une telle de telle adresse, à telle date pour telle raison... Quelle agonie!

*

Le manuscrit finit par revenir, un bon matin. La lettre de refus était attachée à la page de garde comme je l'avais prédit. Polie mais ferme. Très intéressant, beaucoup d'imagination, mais ne répond pas à nos critères et n'entre pas dans le genre de livres que nous publions... Un peu de mépris, un tantinet de condescendance sous un style froid de brasseur de grosses affaires.

Panique.

Pourtant, cette lettre, je l'attendais! La réaction de mes compagnons de travail, de mon contremaître, leurs moqueries, leurs insinuations (quelqu'un avait murmuré en me voyant entrer, un jour: «Tiens, v'là le gothique!»), tout me disait que mon manuscrit avait été lu et serait refusé. Mais quelque part en moi, enfouie au fond de mon âme, tellement loin que je n'en étais pas conscient, une dernière flamme d'espoir devait brûler, un minuscule lampion resté allumé, persistant, après que tous les autres se furent éteints l'un après l'autre sous le souffle de la désillusion. Chaque jour écoulé sans que le courrier ne me ramène mon manuscrit représentait vingt-quatre heures d'espoir de gagnées sur le destin qui, après tout — c'est ce que je me disais quand le facteur était passé, pour me donner le courage de patienter jusqu'au lendemain —, n'était peut-être pas complètement contre moi. Qui sait, la chance...

J'ai fait beaucoup de crises d'angoisse avant de pouvoir les comprendre, les nommer. Dès mon enfance, après une déception ou une mauvaise nouvelle, je paniquais, j'avais l'impression que mon cœur coulait comme un bateau vers mon plexus solaire, j'avais de la difficulté à respirer, le moment présent devenait absurde, impossible à vivre, comme si j'avais été spectateur de ce qui m'arrivait plutôt qu'au contrôle de ma propre vie. Incapable de maîtriser mes émotions, mes forces vives paralysées, complètement démoli, je me jetais dans mon lit et je dormais. Heureusement, j'ai toujours eu cette chance de pouvoir me réfugier dans le sommeil. Je le fais encore mais aujourd'hui, miracle de la science moderne, certaine petite pilule rose calme rapidement mes angoisses et j'arrive à fonctionner normalement sans trop sentir ce besoin de fuite dans le sommeil pour engourdir ma conscience, alors qu'autrefois tout ce que je pouvais faire était de suivre mes instincts, d'endormir mes douleurs et mon corps, parfois pendant de très longues périodes.

Je retournai donc me coucher, ce matin-là, dormis comme une tonne de plomb toute la journée et ne sortis du lit que pour aller travailler. Je n'allais tout de même pas leur faire le plaisir de me déclarer malade ! Mais qu'est-ce qui allait se passer quand j'arriverais à l'imprimerie ? Je poussai la paranoïa jusqu'à imaginer que tout le monde m'attendrait pour rire de moi (je n'ai pas écrit *Hosanna* six ans plus tard pour rien!) et que j'allais m'écrouler sous les insultes et les moqueries de mes compagnons de travail. Rien de tout ça ne se produisit, bien sûr. Devant la panique, le désespoir qui se lisaient sûrement sur mon visage, ils ont dû comprendre l'importance des *Contes gothiques* dans ma vie et m'ont laissé me diriger vers ma linotype en me saluant à voix basse. Noël Lespérance, probablement mal à l'aise, n'est pas venu me dire bonjour, l'atelier s'est vidé en douce — du moins, c'est l'impression que j'eus — et j'abattis ma soirée de travail comme d'habitude.

Mais, chose étonnante pour cette période de ma vie où je savais rarement ce que je faisais et où j'allais, je retombai rapidement sur mes pattes et ripostai de façon, avouons-le humblement, plutôt brillante.

*

Que fait-on quand un éditeur refuse un manuscrit? On l'envoie à son concurrent! Et, comme par hasard, le concurrent d'Alain Stanké à ce moment-là était Jacques Hébert qui avait quitté les Éditions de l'Homme quelques années plus tôt en claquant la porte pour fonder sa propre maison, les Éditions du Jour, rapidement devenue la principale pépinière de romanciers québécois: Victor-Lévy Beaulieu, Marie-Claire Blais, André Major y avaient fait leurs premières armes, et les Éditions du Jour, sans connaître la popularité de la maison rivale, commençaient à se creuser une niche importante dans la littérature québécoise.

Je pris l'adresse des Éditions du Jour dans le bottin téléphonique, je joignis à mon manuscrit une belle lettre adressée personnellement à monsieur Hébert, dans laquelle je racontais en gros mon histoire : j'étais un linotypiste de l'Imprimerie Judiciaire qu'il avait bien connue, j'avais soumis mes *Contes gothiques* aux Éditions de l'Homme qui refusaient, en le rejetant, de publier un de leurs ouvriers, ce qui, pourtant, aurait été intéressant pour la publicité du livre, je me permettais de lui faire parvenir ces textes pour qu'il me dise franchement ce qu'il en pensait, etc.

La réponse ne se fit pas attendre très longtemps.

Quelques semaines plus tard, le téléphone sonna un bon matin. Une gentille secrétaire. Monsieur Jacques Hébert aimerait me rencontrer tel jour à telle heure, m'était-il possible d'y être ? S'il m'était possible d'y être ! Mais tout de suite, s'il le voulait ! Dans une demi-heure ! Non, non, tel jour à telle heure, au revoir, monsieur...

Ça avait marché ! J'avais joué sur la rivalité entre les deux maisons et j'avais obtenu un rendez-vous avec Jacques Hébert, le grand manitou de l'édition au Québec !

*

Les Éditions du Jour, rue Saint-Denis, étaient un cénacle vénéré où on pouvait à toute heure croiser les jeunes lions de la littérature québécoise et les apprentis lions, plus discrets, plus réservés mais le regard en feu et l'espoir au cœur. C'était le centre névralgique de notre jeune littérature, l'espoir enfin donné aux nouveaux écrivains de faire leurs preuves. J'avais déjà vu Marie-Claire Blais, frêle, sa frange de cheveux bruns lui barrant le front, monter le petit escalier en tenant un texte sous son bras; j'avais aperçu, un après-midi d'été, Victor-Lévy Beaulieu, déjà impressionnant, lisant un manuscrit sur les marches en se tortillant la barbe. C'était mon tour, maintenant, de grimper ces quelques marches, de tourner vers la gauche pour emprunter le balcon qui menait à la porte principale, et j'avais quelque difficulté, tant mon émotion était grande, à enregistrer ce moment important de ma vie. Victor-Lévy Beaulieu avait-il lu mon manuscrit ici même, dans cette belle vieille maison près du carré Saint-Louis, en se tortillant la barbe? Si jamais les Éditions du Jour ne publiaient pas mes contes, j'aurais au moins été lu par lui et rencontré leur directeur, c'était infiniment mieux qu'une lettre polie mais ferme...

Jacques Hébert, ses yeux gris me scrutant jusqu'au fond de l'âme, visiblement curieux de l'étrange bête qu'il avait devant lui, me prit tout de suite d'assaut:

« Ta lettre m'a étonné. J'ai tout de suite fait lire ton manuscrit. Qui nous a étonnés, lui aussi. D'où viens-tu? Personne ne te connaît. Qu'est-ce que tu fais à l'Imprimerie Judiciaire? »

Je lui racontai tout: l'école secondaire « scientifique spéciale » parce que mes notes étaient trop fortes pour que je suive les cours normaux, l'Institut des arts graphiques parce que je ne savais pas quoi faire de ma vie si je ne devenais pas écrivain, l'Imprimerie Judiciaire parce que mon frère y travaillait déjà et que j'y avais été engagé sans vraiment passer de test, le Concours des jeunes auteurs, l'année précédente, avec une pièce écrite sept ans plus tôt — il avait vu *Le Train* mais ne se souvenait pas de moi —, ces contes, enfin, écrits dans le style des auteurs fantastiques européens et américains, réunis sous ce titre qui, je pouvais le lui assurer, n'était pas définitif...

« J'espère bien ! C'est un très mauvais titre, faudra le changer.

— Le changer... Est-ce que ça veut dire...

— Ton livre nous intéresse, oui, mais va falloir changer beaucoup de choses... Tes contes ne sont pas tous bons, faudrait faire un choix... en garder peut-être une trentaine au plus et trouver un fil conducteur à ton livre, essayer de les unifier... Certains sont écrits à la première personne, d'autres non... Essaie de les grouper, d'en faire un livre en deux parties distinctes, je sais pas, travaille encore dessus, polis le style qui n'est pas toujours assez travaillé... mais je te donne deux semaines, pas plus, je veux que le livre sorte en juin... C'est un livre parfait pour le temps des vacances. »

Un livre à moi ! En juin ! Dans trois mois !

Jacques Hébert se délectait visiblement du plaisir qui devait se lire sur mon visage.

« Vous allez me faire signer un vrai contrat et tout ?

— Oui. Mais la politique, ici, est de faire signer les nouveaux auteurs pour cinq livres... C'est-à-dire que tu signes un contrat pour celui-là, mais tu nous donnes le premier droit de refus pour les quatre suivants... Personne n'a eu à s'en plaindre jusqu'ici, et si tu te rends jusqu'à cinq livres...

— Ayez pas peur, j'en ai déjà un deuxième de prêt ! »

Il était de plus en plus étonné.

« Un deuxième ! Toujours des contes ?

— Non, non, une pièce... Je l'ai finie en septembre de l'année passée et... »

Il me coupa en levant les deux mains devant lui et en les agitant comme si un fantôme venait de lui apparaître.

« Ah non, le théâtre, ça ne nous intéresse plus depuis notre mauvaise expérience avec *Joli Tambour* de Jean Basile...

— Mais c'est ben intéressant, c'est l'histoire de quinze femmes qui collent des timbres-primes dans une cuisine...

— Ça sert à rien d'insister, je n'accepterai même pas de la lire... Pour le théâtre, faudra que t'ailles ailleurs... On fera le contrat en conséquence...

— Vous pourriez le regretter, un jour... »

Il me regarda bien dans les yeux pendant que son sourire disparaissait.

« Fais-moi pas déjà regretter de m'intéresser à toi, Michel... Et ne va pas t'imaginer que t'es déjà un écrivain, là, ne quitte pas tout de suite ton travail, c'est pas ce livre-là, je te le dis bien franchement, qui va te permettre de gagner ta vie ! Continue à travailler à l'Imprimerie Judiciaire ou ailleurs, t'as un bon métier, tu gagnes sûrement bien ta vie, on verra plus tard si on peut faire de toi un vrai écrivain ! J'attends de tes nouvelles d'ici deux semaines, pas plus tard, il faut réserver du temps de presse à l'imprimerie... »

Je sortis des Éditions du Jour saoul comme si j'avais passé l'après-midi à boire. Je descendis la côte Sherbrooke en sifflant, le cœur léger, les pieds indifférents à la giboulée de mars qui transperçait mes bottes cosaques que j'avais sorties trop tôt, comme d'habitude. Je pataugeais allégrement dans la slotche, sans même penser à me plaindre de l'hiver trop long ou de cette maudite tempête de neige tardive qui nous était tombée dessus sans prévenir... Ma visite chez Jacques Hébert valait bien un rhume !

J'avais rendez-vous avec Brassard au Sélect, au coin de Sainte-Catherine et de Saint-Denis. Ce restaurant de quartier très éclectique — on annonçait en toute simplicité dans la vitrine : *cuisine continentale, mets canadiens, italiens, chinois*, c'était tout dire ! — nous servait de cantine, de point de ralliement, nous y discutions des spectacles et des films que nous avions vus, des livres que nous lisions ; André y rencontrait les acteurs et les actrices avec qui il voulait travailler — c'est là que, deux ans plus tôt, nous avions été officiellement présentés, Rita Lafontaine et moi, un moment tellement important dans ma vie que je pourrais, je crois, en décrire chaque seconde, chaque *millième* de seconde ! —, nous restions des heures devant les vestiges de nos petits repas bon marché — le *hamburger platter* trois sauces pas de cole-slaw de Brassard était célèbre — sous le regard attendri des serveuses que nous appelions maman ou ma tante. Le juke-box nous servait sans arrêt *Que c'est beau, la vie* de Jean Ferrat, et nous prenions un plaisir fou à nous moquer de cet optimisme bébête. Éjarrés dans une banquette pour six, bruyants comme si nous avions été vingt, nous étions chez nous. Il y avait, tour à tour ou en même temps, Louise Jobin, François Laplante, Ginette Lefebvre, Jean Archambeault, Diane Arcand, Jacques Desnoyers, Micheline de Courval, Réjean Roy, Jean-Yves Laforce, le nœud d'artistes ou de satellites comme moi dont s'était entouré André quand il avait décidé de fonder sa propre compagnie, le Mouvement contemporain. Entrer dans un endroit et voir des visages s'éclairer à ma vue était pour moi une chose nouvelle et précieuse ; j'avais plutôt été habitué, ces dernières années, à l'indifférence ou aux moqueries de mes compagnons de travail quand j'arrivais à l'Imprimerie Judiciaire...

Après les cris de joie et les félicitations («C'est sublime ! Tu vas enfin être publié ! »), Brassard me demanda de lui raconter dans le détail ma visite à Jacques Hébert.

Mais à la fin de mon récit, détaillé, commenté, augmenté aussi parce que j'ai toujours eu tendance à tout exagérer, j'exprimai enfin la dernière petite inquiétude qui me tenaillait :

«Penses-tu qu'y me publie parce qu'y trouve mon livre bon, ou si c'est juste pour faire chier les Éditions de l'Homme ?

— Penses-tu qu'y'a les moyens de dépenser tout cet argent-là juste pour faire chier les Éditions de l'Homme ? »

Soulagement. Rires.

« Veux-tu un autre coke ? C'est moi qui paye ! »

*

En entrant à l'Imprimerie Judiciaire, ce soir-là, je criai bien fort, pour que tout le monde m'entende jusqu'au fond de l'atelier, jusqu'au fond des bureaux, les pressiers, les linotypistes, les relieuses, les typographes, les secrétaires, le correcteur d'épreuves, Noël Lespérance, Alain Stanké s'il était là :

« Mon livre va être publié aux Éditions du Jour ! »

*

En moins d'une semaine, je réussis à restructurer mes contes, à les trier, à les récrire en partie et à leur trouver leur titre définitif. Je suivis les conseils de monsieur Hébert et séparai des autres les récits écrits à la première personne. En les examinant de près, je me rendis bientôt compte que certains d'entre eux, si on les réunissait, si on les rattachait les uns aux autres, pouvaient ressembler à ces anthologies anglo-saxonnes dans lesquelles de vieux aventuriers se réunissent une fois par mois dans un club privé pour se raconter des histoires terrifiantes... L'une des miennes, justement intitulée *Le Soûlard*, pourrait d'ailleurs servir de conclusion à cette partie du livre...

J'imaginai des buveurs attardés dans une taverne louche après la fermeture pour avouer les terribles aventures qu'ils n'avaient jamais osé raconter, parce qu'ils avaient peur qu'on les croie fous. Ça sentait les relents de bière et la sueur. Il faisait noir, les conteurs s'étaient installés à la même table... Ils parlaient à voix basse ou criaient leur terreur. Le titre était trouvé. *Contes pour buveurs attardés*. Dans la première partie, les buveurs avaient la parole; dans la deuxième, c'est l'auteur du livre qui leur racontait des histoires dans le but de leur faire peur.

Le livre était mieux structuré, le titre infiniment meilleur — même si mon frère Jacques hurlait qu'on ne devrait jamais finir le titre d'un livre avec un participe passé, que ce n'était pas français; je lui avais répondu: «*À la recherche du temps perdu*, c'est un mauvais titre, peut-être? Tu vas montrer à Proust à écrire?» — et je jubilais lorsque je retournai au bureau de Jacques Hébert.

Le manuscrit définitif déposé aux Éditions du Jour, le contrat signé, la date du lancement choisie — c'était, si je me souviens bien, un des premiers lundis de juin 1966 —, plus rien ne me retenait à l'Imprimerie Judiciaire malgré les sages avertissements de Jacques Hébert et je me mis à être franchement odieux à l'atelier. J'arrivais en retard, j'oubliais de poinçonner ma carte de présence ou alors je prenais deux heures pour manger en demandant à Marcel de poinçonner pour moi à dix heures et à dix heures trente, je passais mes soirées au téléphone dans le bureau de Noël Lespérance; il m'est même arrivé, un soir, de me présenter au travail en complet et cravate parce que j'allais au théâtre à huit heures avec Brassard! Mais mon travail était fait, les épreuves du *Court House* étaient toujours déposées sur l'établi quand je quittais l'atelier, à une heure du matin... Cependant, l'atmosphère à l'imprimerie devenait irrespirable, je prévoyais le pire et je m'en foutais complètement : j'allais bientôt voir naître mon premier livre, c'est tout ce qui comptait dans ma vie.

Un bon soir où je fouillais dans le bureau de Noël Lespérance à la recherche du numéro de téléphone de mon frère Bernard parce que je voulais jaser avec ma belle-sœur, le contremaître surgit dans la pièce comme un héros de bande dessinée, Superman défendant *the American Way*, Tarzan débusquant un voleur de singes dans le nid de Cheetah, Blondinette surprenant Dagwood la tête dans le frigidaire.

Je m'y attendais depuis un bout de temps, je ne fus pas surpris. Quelqu'un m'avait vendu, Noël, caché quelque part, m'avait guetté... Tout ça était tellement ridicule.

L'explication fut longue et pénible. Le contremaître avait toutes les raisons du monde de me faire des reproches et je le laissai parler sans trop me défendre. Il se vida le cœur, en parut soulagé.

Je perdis bien sûr mon emploi — Bernard n'avait pas pu me couvrir, cette fois-là — et, le soir même, je quittai l'Imprimerie Judiciaire où j'avais passé les trois pires années de ma vie.

J'étais, à partir de ce moment-là, un écrivain au chômage comme les autres !

*

Quelques jours avant le lancement, monsieur Hébert me téléphona pour m'apprendre qu'il était possible que le livre ne soit pas livré à temps pour la réception du lundi.

«Des problèmes d'imprimerie, tu sais ce que c'est, c'est ton métier... Mais ne t'en fais pas, la chose s'est déjà produite et les gens ont plutôt tendance à trouver ça amusant...

— Pas l'auteur, chus sûr!

— Non, c'est vrai, l'auteur est souvent frustré, mais le livre arrive le lendemain ou quelques jours plus tard et tout rentre dans l'ordre.

— Qu'est-ce que vous faites dans ce temps-là, pendant le lancement? Vous faites comme si c'était sa fête pis vous y chantez *Happy Birthday to you*?»

Je savais bien que ce n'était pas sa faute, mais j'étais quand même furieux. Un lancement sans livre! Une première sans pièce, peut-être! Ou un mariage sans mariés!

C'était mon premier lancement de livre et ç'aurait l'air d'un enterrement, avec des invités à l'air contrit et des conversations à voix basse?

«Félicitations...

— Pourquoi?

— Ben, pour ton livre.

— Où ça, un livre?»

Franchement!

*

Comme tous les lancements, le mien devait avoir lieu à cinq heures de l'après-midi. J'étais tellement nerveux, ce jour-là, que je décidai d'aller au cinéma, à la première séance, pour que le temps passe plus vite. Il ne faut surtout pas me demander ce que j'ai vu, je n'en garde aucun souvenir. Je fus probablement incapable de me concentrer sur ce que je regardais. Je revins du cinéma vers trois heures trente, je me lavai et me changeai en un quart d'heure, il me restait donc encore une heure avant d'appeler mon taxi! Je m'installai sur le balcon, un livre à la main.

C'était une splendide journée de juin, les lilas plutôt rachitiques de la rue de Lorimier exhalaient tant bien que mal leur parfum sucré vite assassiné par l'oxyde de carbone des milliers de camions qui descendaient chaque jour vers le chantier de l'Expo. Mon père disait souvent:

«On n'aura pas besoin d'aller à l'Expo, l'Expo va avoir passé devant chez nous!»

En effet, une bonne partie de la terre qui servait à construire, au milieu du Saint-Laurent, les îles du site de l'Exposition universelle de Montréal de 1967 descendaient la rue de Lorimier jour et nuit dans un bruit d'enfer qui nous avait d'abord affolés mais auquel nous avions fini par nous habituer au fil des années. Parce que ça durait depuis plusieurs années... L'île Notre-Dame et la Ronde passaient donc devant chez nous petit tas par petit tas, raison de plus pour en vouloir au maire Jean Drapeau et à ses idées de grandeur.

Mais ce jour-là le vrombissement des moteurs mal-menés par des conducteurs impatients rendus fous par la chaleur et l'humidité me paraissait pire que d'habitude, je n'arrivais pas plus à me concentrer sur ce que je lisais que je n'avais été capable de le faire devant le film que je venais de voir, et je décidai de descendre vers les Éditions du Jour à pied. Ça me prendrait une bonne demi-heure, ça me détendrait peut-être et je n'arriverais pas trop tôt. Et si j'arrivais trop tôt, ça me permettrait de passer quelques minutes en tête-à-tête avec mon livre... En effet, le matin même Jacques Hébert m'avait dit qu'il y avait un espoir que quelques exemplaires arrivent par autobus... Un pour moi, un pour lui, quelques-uns pour la presse...

Je me souviens très peu du chemin parcouru à partir de la rue de Lorimier près de Masson jusqu'à Saint-Denis près de Sherbrooke. J'étais comme dans un coma profond dont je doutais de jamais pouvoir sortir, dont je n'étais pas sûr de *vouloir* jamais sortir. Je n'avais assisté à aucun lancement de livre de toute ma vie, j'ignorais complètement comment ça se passait et je n'avais pas la moindre idée de ce qu'on attendait de moi. Y aurait-il des discours comme à une inauguration ? Devrais-je prendre la parole pour remercier monsieur Hébert et en profiter pour conspuer les infâmes Éditions de l'Homme ? Mes invités seraient-ils là ? Pourraient-ils se procurer mon livre ou seraient-ils obligés de partager un exemplaire qui passerait de main en main ? Mon Dieu ! Je n'avais pas de plume sur moi ! Si on me demandait une dédicace ! L'idée que j'aurais éventuellement à signer une dédicace ne m'était encore jamais venue à l'esprit, et je faillis rebrousser chemin pour aller me réfugier dans mon lit.

Tout était tranquille devant les Éditions du Jour. Il était à peine cinq heures moins quart. J'arrivais à mon propre lancement à l'heure des quétaines plutôt que de faire ma star et d'arriver en retard! Qu'est-ce que j'allais faire? Me poster à l'entrée comme une matante qui reçoit et souhaiter la bienvenue à ceux qui se présenteraient (si quelqu'un se présentait, ce dont je n'étais pas sûr du tout):

«Bonjour... entrez... Merci d'être venu... Passez donc au salon...»

Mais je me disais que monsieur Hébert m'aiderait, c'était dans son intérêt, après tout, que je n'aie pas l'air trop fou. J'arrivais à mon lancement et ce n'était que la troisième fois que je montais les marches sacrées de l'escalier des Éditions du Jour...

Une seule personne était arrivée avant moi. Mon amie Claire Sarrasin se tenait dans le salon des Éditions du Jour, un livre à la main. Je ne remarquai pas du tout le livre et embrassai Claire en lui disant que j'étais bien content de la trouver là, que je me sentais moins seul. Elle semblait émue et je jure que je ne savais pas pourquoi; je me demandais même ce qu'elle avait.

Elle me dit, en tenant le livre sur son cœur:

«Y'est ben beau.

— Qui, ça?

— Ben, le livre, niaiseux!»

Le livre! Il était arrivé! Et c'est alors seulement que je vis partout sur les présentoirs des taches noires et

282

bleues... Une tour, une horloge indiquant minuit moins cinq, un pendu accroché à l'aiguille des minutes...

Claire me tendit son exemplaire de *Contes pour buveurs attardés* en souriant. Tout s'effaça autour de moi. Je crus que j'allais m'évanouir.

Mon premier enfant.

*

J'aime les livres, je l'ai assez dit jusqu'ici, j'aime les palper, les feuilleter, les humer ; j'aime les presser contre moi et les mordre ; j'aime les malmener, les sentir vieillir entre mes doigts, les tacher de café — sans toutefois faire exprès —, y écraser de petits insectes, l'été, et les déposer n'importe où ils risquent de se salir, mais quand je vois pour la première fois un de mes livres à moi, un enfant que j'ai pensé, pondu, livré, l'émotion est tellement plus forte, la joie tellement plus vive, que le monde s'arrête littéralement de tourner. Je ressens une petite secousse comme lorsqu'un ascenseur s'arrête, mes genoux se dérobent, mon cœur tape du pied comme ma grand-mère Tremblay sur le balcon de la rue Fabre quand j'étais enfant et, chaque fois — ce livre-ci sera le quarantième —, je pense à maman qui n'a jamais su que j'écrivais, qui est partie doublement trop tôt : parce que je l'aimais et parce que je n'ai jamais pu lui confier les deux secrets de ma vie, mon orientation sexuelle et...

Qu'aurait-elle dit en ouvrant le premier livre de son fils qui l'avait si souvent exaspérée ?

Imaginons...

« Michel ! Un livre que t'as écrit ! Cent quatre-vingts pages qui sont sorties de ta plume à toi ! J'ai tellement lu dans ma vie que j'ai fini par mettre au monde un enfant qui écrit !

— Moman, commence pas à penser que c'est toi qui as écrit ce livre-là, là !

— J'pense pas que je l'ai écrit, j'dis juste que j't'ai encouragé à lire pis qu'en t'encourageant à lire... 'coudonc, y'ont donc ben des drôles de titres, tes contes !

— C'est des contes fantastiques, moman !

— Des contes fantastiques ?

— Oui. Un peu comme Edgar Allan Poe...

— Ah...

— J'sais que t'as jamais beaucoup aimé ce genre de littérature là, mais moi c'est ce que j'avais envie d'écrire...

— Ah, bon. Mais ça te tentait pas d'écrire des affaires, j'sais pas, moi, moins... morbides ?

— Moman, tu les as pas encore lus !

— J'les ai pas lus mais je connais mes genres littéraires ! J'suppose que c'est plein de sang pis de tuage pis de coupage en morceaux...

— Ben oui...

— Pis tu veux que je lise ça...

— Moman, c'est moi qui les ai écrits !

— C'est vrai, tant qu'à ça. La couverture est belle, par exemple. Ben 'coudonc, m'as dire comme on dit, j'vas essayer...

— Essayer?

— J'vas les lire, Michel. Au complet. Jusqu'au bout. Pis laisse-moi te dire que tu vas savoir c'que j'en pense!

— Tu vas aimer ça, moman.

— Pourquoi tu dis ça?

— Parce que c'est moi qui les ai écrits.

— Tant qu'à ça, t'as ben raison... Faut se forcer, dans' vie, pour faire plaisir à ceux qu'on aime...

— Moman!

— C't'une farce!

— Chus pas sûr...

— Écoute-moi ben, mon p'tit gars... C'est vrai que j'vas me forcer pour les aimer, ces contes-là, même si j'les haïs pour tuer! Mais tu le sauras jamais parce que j'vas probablement te dire que c'est le plus beau livre que j'ai jamais lu de toute ma vie! Pour te faire plaisir. Pis pour me faire plaisir! Y'est pas question, m'entends-tu, que mon enfant aye pas écrit le plus grand livre de toute l'histoire de la littérature mondiale!

— J'veux que tu sois honnête, moman!

— Mon p'tit gars, une mère, c'est jamais honnête!»

Key West, 3 janvier – 2 mars 1994

TABLE

DU MÊME AUTEUR

ROMANS, RÉCITS ET CONTES
Contes pour buveurs attardés, Éditions du jour, 1966; BQ, 1996
La Cité dans l'œuf, Éditions du jour, 1969; BQ, 1997
C't'à ton tour, Laura Cadieux, Éditions du jour, 1973; BQ, 1997
Le Cœur découvert, Leméac, 1986; Babel, 1995
Les Vues animées, Leméac, 1990
Douze coups de théâtre, Leméac, 1992; Babel, 1997
Le Cœur éclaté, Leméac, 1993; Babel, 1995
Un ange cornu avec des ailes de tôle, Leméac/Actes Sud, 1994;
Babel, 1996
La Nuit des princes charmants, Leméac/Actes Sud, 1995
Quarante-quatre minutes, quarante-quatre secondes, Leméac/Actes Sud,
1997

CHRONIQUES DU PLATEAU MONT-ROYAL
La Grosse femme d'à côté est enceinte, Leméac, 1978; Babel, 1995
Thérèse et Pierrette à l'école des Saints-Anges, Leméac, 1980; Grasset,
1983; Babel, 1995
La Duchesse et le roturier, Leméac, 1982; Grasset, 1984; BQ, 1992
Des nouvelles d'Édouard, Leméac, 1984; Babel, 1997
Le Premier quartier de la lune, Leméac, 1989; Babel, 1999
Un objet de beauté, Leméac/Actes Sud, 1997

THÉÂTRE
Les Belles-sœurs, Leméac, 1972
En pièces détachées, Leméac, 1970
Trois petits tours, Leméac, 1971
À toi, pour toujours, ta Marie-Lou, Leméac, 1972
Demain matin, Montréal m'attend, Leméac, 1972
Hosanna suivi de *La Duchesse de Langeais*, Leméac, 1973
Bonjour là, bonjour, Leméac, 1974
Les Héros de mon enfance, Leméac, 1976
Sainte Carmen de la Main suivi de *Surprise ! Surprise !*, Leméac, 1976
Damnée Manon, sacrée Sandra, Leméac, 1977
L'impromptu d'Outremont, Leméac, 1980
Les Anciennes Odeurs, Leméac, 1981
Albertine en cinq temps, Leméac, 1984
Le Vrai Monde ?, Leméac, 1987
Nelligan, Leméac, 1990
La Maison suspendue, 1990
Le Train, Leméac, 1990
Marcel poursuivi par les chiens, Leméac, 1992
Théâtre I, Leméac/Actes Sud-Papiers, 1991
En circuit fermé, Leméac, 1994
Messe solennelle pour une pleine lune d'été, Leméac, 1996
Encore une fois, si vous permettez, Leméac, 1998

ADAPTATIONS (THÉÂTRE)

Lysistrata (d'après Aristophane), Leméac, 1969, réédition 1994
L'Effet des rayons gamma sur les vieux garçons (de Paul Zindel), Leméac, 1970
Et Mademoiselle Roberge boit un peu (de Paul Zindel), Leméac, 1971
Mademoiselle Marguerite (de Roberto Athayde), Leméac, 1975
Oncle Vania (d'Anton Tchekov), Leméac, 1983
Le Gars de Québec (d'après Gogol), Leméac, 1985
Six heures au plus tard (de Marc Perrier), Leméac, 1986
Premières de classe (de Casey Kurtti), Leméac, 1993

BABEL

Extrait du catalogue

COÉDITION ACTES SUD – LEMÉAC